CARL FRIEDRICH VON SIEMENS STIFTUNG · THEMEN BD. 103

Peter Schäfer

*Jüdische Polemik
gegen Jesus und das Christentum*

D1246220

Herausgegeben von Heinrich Meier

PETER SCHÄFER

Jüdische Polemik gegen Jesus und das Christentum

Die Entstehung eines jüdischen Gegenevangeliums

Carl Friedrich von Siemens Stiftung
München

Zum Umschlag

Erweiterte Fassung eines Vortrags, gehalten in der
Carl Friedrich von Siemens Stiftung am 28. Juni 2016.
Der Abend wurde geleitet von Professor Dr. Christian Meier.

Inhalt

PETER SCHÄFER

Jüdische Polemik gegen Jesus und das Christentum

Die Entstehung eines jüdischen Gegenevangeliums

Judentum und Christentum in den ersten Jahrhunderten unserer Zeitrechnung wurden lange Zeit als Mutter- und Tochter-Religion verstanden, eine Religion (»Judentum«), die bereits fest etabliert war, und eine neue Religion (»Christentum«), die sich von Anfang an durch die Abgrenzung von ihrer Mutterreligion definierte. Inzwischen setzt sich die Erkenntnis durch, daß dieses schlichte Bild weder für das Christentum noch auch für das Judentum gilt. Heute geht man statt dessen von einem langen Entstehungsprozeß nicht nur des Christentums, sondern auch des Judentums aus: eines Christentums, das sich erst langsam und dann zunehmend aggressiver vom Judentum absetzt und distanziert sowie eines Judentums, das sich in der Form des rabbinischen Judentums nach der Zerstörung des Tempels beträchtlich von dem vorchristlichen Judentum – dem Judentum des Zweiten Tempels – unterscheidet und erst im Kontakt und in der Konfrontation mit dem entstehenden Christentum seine bis heute gültige Gestalt gewinnt. Insofern sind »Judentum« und »Christentum« in den ersten nachchristlichen Jahrhunderten keine immer schon stabilen

Einheiten, sondern das Ergebnis von Prozessen, die, zunächst mit- und gegeneinander laufend, erst nach längerer Zeit in klar definierte Religionen münden sollten. Statt hierarchisch von Mutter- und Tochterreligion spricht man daher besser von zwei gleichberechtigten Schwesterreligionen.[1]

Innerjüdische Auseinandersetzung

Auf diesem Hintergrund sind auch »christliche Polemik gegen das Judentum« und »jüdische Polemik gegen das Christentum« zwei Seiten der zunächst selben Medaille, nämlich Facetten einer ursprünglich *inner*jüdischen Auseinandersetzung, in der die Gegner – jedenfalls was ihr Verhältnis zu den »Heiden«, d. h. zur griechisch-römischen Umwelt betrifft – noch im selben Lager stehen. Dies gilt für viele der sogenannten antijüdischen Äußerungen im Neuen Testament, greifen diese doch primär Elemente einer *jüdischen* Kritik auf, die dann erst von den Autoren und Redaktoren der neutestamentlichen Schriften (ganz zu schweigen von ihren Nachfahren, den Kirchenvätern) zu einer christlichen Kritik am Judentum stilisiert wurden. Ein klassisches Beispiel dafür sind etwa die Weherufe gegen die Schriftgelehrten und Pharisäer, die in der Tradition der prophetischen Kritik am eigenen Volk stehen.[2] Insofern ist das eine immer auch das andere, und gerade in der christlichen Pole-

---

1 Ausführlicher dazu Peter Schäfer: *Anziehung und Abstoßung. Juden und Christen in den ersten Jahrhunderten ihrer Begegnung.* Lucas-Preis 2014. Hg. von Jürgen Kampmann. Tübingen 2015.

2 Mt. 23; Mk. 12:37–40; Lk. 11:37–52; Lk. 20:45–47.

mik gegen die »Juden« scheint oft die ursprünglich innerjüdische Polemik noch durch. Erst im Johannesevangelium,
dem jüngsten der vier Evangelien, und in der Johannesapokalypse verhärten sich die Fronten. Im Johannesevangelium
ist Jesus von Anfang an der einzige Sohn seines Vaters im
Himmel,[3] der Sohn Gottes,[4] der Menschensohn, der vom
Himmel herabgestiegen ist,[5] der von den Toten auferweckt
wurde[6] und der wieder in den Himmel zurückkehren wird.[7]
Genau dies können und wollen die »Juden« nicht verstehen, kennen sie doch diesen Jesus als Sohn des sehr irdischen Paares Josef und Maria:

> Ist das nicht Jesus, der Sohn Josefs, dessen Vater und
> Mutter wir kennen? Wie kann er jetzt sagen: Ich bin
> vom Himmel herabgekommen?![8]

Zum polemischen Countdown kommt es im Johannesevangelium, als Jesus und die Pharisäer sich um ihre Herkunft streiten.[9] Als die Pharisäer zunächst Abraham als
ihren Vater beanspruchen, wirft Jesus ihnen vor, daß sie
niemals danach trachten würden, ihn zu töten, wenn sie
wirklich die rechtmäßigen Kinder Abrahams wären.[10] So in
die Enge getrieben, greifen die Pharisäer zu ihrem schärf-
sten Argument und behaupten, daß Jesus einem Ehebruch

---

3 Joh. 1:14.
4 Joh. 1:49.
5 Joh. 3:13.
6 Joh. 2:22.
7 Joh. 3:13 f.
8 Joh. 6:42.
9 Joh. 8:37 ff.
10 Joh. 8:40 f.

entstamme, während sie Gott allein zu ihrem Vater hätten.[11] Worauf Jesus ebenso scharf zurückschlägt:

> Ihr habt den Teufel zum Vater, und ihr wollt das tun, wonach es euren Vater verlangt. Er war ein Mörder von Anfang an. Und er steht nicht in der Wahrheit; denn es ist keine Wahrheit in ihm. Wenn er lügt, sagt er das, was aus ihm selbst kommt; denn er ist ein Lügner und ist der Vater der Lüge.[12]

Hier stehen sich die beiden Gruppen unversöhnlich gegenüber: Auf der einen Seite Jesus, der Sohn Gottes, mit seinen Anhängern, den Kindern Gottes und wahren Söhnen Abrahams, für die die Juden in Wirklichkeit die Kinder des Satans sind; und auf der anderen Seite die Juden, die Abraham und letztlich Gott als ihren Vater beanspruchen und für die Jesus, der angebliche Sohn Gottes, in Wirklichkeit einem Ehebruch entstammt. Schärfer könnte man den Gegensatz nicht formulieren: die Juden als Söhne Satans versus Jesus als Kind der Unzucht.

Jüdische Polemik in christlichen Quellen

Während der Vorwurf der Abstammung der Juden vom Satan auch Eingang in die Johannesapokalypse finden sollte, in der die Juden als »Synagoge des Satans« beschimpft

---

11 Joh. 8:41: »Sie [die Pharisäer] entgegneten ihm [Jesus]: Wir stammen nicht aus einem Ehebruch, sondern wir haben nur den einen Vater: Gott«. Vielleicht steckt auch schon in der Frage der Pharisäer an Jesus: »Wo ist denn dein Vater?« (Joh. 8:19) der implizite Vorwurf des Ehebruchs.

12 Joh. 8:44.

werden,[13] ist die hier nur ganz beiläufig erwähnte, angeblich illegitime Herkunft Jesu sonst kein Thema im Neuen Testament. Sie sollte aber, zusammen mit der Hinrichtung und dem Begräbnis Jesu, eines der beiden beherrschenden Themen werden, die wir aus der frühchristlichen Literatur rekonstruieren können. Mit anderen Worten, die ersten Spuren jüdischer Polemik gegen Jesus und das Christentum finden sich nicht in jüdischen, sondern in christlichen Quellen. Ich werde in einem ersten Schritt die wichtigsten kurz zusammenfassen.

In der Mitte des zweiten Jahrhunderts n. Chr. behauptet Justin der Märtyrer in seinem Dialog mit Trypho, daß die Juden Männer »in alle Welt« hinausschicken, die gegen die gottlose und schlimme Sekte des Galiläers Jesus zu Felde ziehen. Sie hätten diesen Betrüger mit guten Gründen gekreuzigt, doch hätten seine Jünger ihn aus dem Grab gestohlen und versuchten nun, den Leuten weiszumachen, daß er von den Toten auferstanden und in den Himmel aufgefahren sei.[14] Hier hören wir zum erstenmal von einer konzertierten Aktion der Juden gegen die christliche Botschaft, ausschließlich bezogen auf die Kreuzigung und angebliche Auferstehung; von der illegitimen Herkunft ist (noch) nicht die Rede. Die jüdischen Quellen, auf die Justin sich offenbar stützt, sind nicht bekannt.

Die illegitime Herkunft Jesu kommt dann wenig später in einer anderen, sehr drastischen Quelle zur Sprache, nämlich bei dem heidnischen Philosophen Kelsos, dessen Werk *Alethēs Logos* (ca. 177 n. Chr.) uns nur noch aus der Streit-

---

13 Offenb. 2:9; 3:9.
14 Justin: *Dialogus cum Tryphone* 108:2.

schrift *Contra Celsum* des Kirchenvaters Origenes bekannt ist. Kelsos präsentiert dort einen Juden, der Jesus vorwirft, sich fälschlich als Sohn einer Jungfrau ausgegeben zu haben. In Wirklichkeit sei er der Sohn einer armen Landfrau, die von ihrem Mann wegen Ehebruchs verstoßen worden sei und der sich in seinem Größenwahn als Gott ausgegeben habe;[15] sein wirklicher Vater sei ein römischer Soldat namens Panthera.[16] Dies ist nun die perfekte Gegenerzählung zur neutestamentlichen Geburtsgeschichte, die zwei zentrale Punkte aufgreift:

1. Sie polemisiert gegen die davidische Abstammung Jesu, mit der seine Stellung als Messias untermauert wird. So beginnt das Matthäusevangelium mit dem Stammbaum Jesu, des Sohnes Davids, der direkt auf Abraham zurückgeführt wird und in der Geburt Jesu, »der der Christos (Messias) genannt wird«, kulminiert.[17]

2. Sie entlarvt Jesus als unehelichen Sohn, d. h. als Bastard, und persifliert gleichzeitig die angebliche Jungfrauengeburt. Damit greift sie einen wunden Punkt in der Geburtsgeschichte nach Matthäus auf: Während er in dem vorangestellten Stammbaum darauf abhebt, daß Jesus der Sohn von Josef und Maria ist und daß seine davidische Abstammung über seinen Vater Josef, den »Mann« Marias, läuft, offenbart Matthäus kurz danach, daß Maria mit Josef gar nicht verheiratet, sondern ihm nur anverlobt war und daß das Kind in Wirklichkeit vom Heiligen Geist ist.[18] Indem sie das Eingreifen des Heiligen Geistes als Vertu-

---

15 Origenes: *Contra Celsum* I:28.

16 Ibid., I:32.

17 Mt. 1:16.

18 Mt. 1:18.20.

schung des Ehebruchs mit dem römischen Soldaten Panthera (d. h. auch noch mit einem Nichtjuden) enthüllt, erschüttert die jüdische Gegenerzählung die Grundlagen der christlichen Botschaft.

Tertullian, ein anderer einflußreicher frühchristlicher Schriftsteller, kombiniert in seinem Werk *De spectaculis* (ca. 200 n. Chr.) die beiden Eckpunkte der jüdischen Polemik gegen Jesus und das Christentum. Wenn die Juden, »die ihrer Wut auf den Herrn freien Lauf ließen«, am Ende der Zeiten zusammen mit den staatlichen Verfolgern der Christen endlich im Höllenfeuer schmoren, dann wird der verachtete und mißhandelte Jesus endgültig triumphieren,

> dieser Jesus, den sie »als Sohn des Zimmermanns und der Dirne«,
> als »Sabbatschänder« verhöhnt,
> den sie geschlagen, bespuckt und mit Galle und Essig getränkt
> und den »die Jünger heimlich entwendet haben, um nachher sagen zu können, er sei auferstanden«.[19]

Boshaft fügt Tertullian noch hinzu, daß es vielleicht auch der Gärtner war, der Jesus beiseite geschafft haben könnte, nämlich aus Angst davor, daß die vielen zu erwartenden Besucher des Grabes seinen kostbaren Salat zertrampelten.

Jüdische Polemik in den frühesten jüdischen Quellen

Mit der Persiflage der Geburt und des Todes sowie der Auferstehung Jesu, wie wir sie aus den christlichen und heid-

---

19 Tertullian: *De spectaculis* 30:6.

nischen Quellen rekonstruieren können, ist der Ton angeschlagen, der auch aus den ersten jüdischen Quellen erklingt, die wir zur Verfügung haben. Es spricht also einiges dafür, daß die indirekte christliche bzw. heidnische Überlieferung zuverlässige jüdische Traditionen widerspiegelt. Der erste Fixpunkt einer genuin jüdischen Polemik gegen Jesus findet sich im babylonischen Talmud, dessen Endredaktion auf das Ende des 6. oder den Anfang des 7. Jahrhunderts n. Chr. angesetzt wird. Ohne hier auf Einzelheiten einzugehen,[20] möchte ich nur einige wenige Punkte festhalten:

1. Die frühe antichristliche Polemik findet sich ausschließlich im babylonischen und nicht im etwas älteren palästinischen Talmud, d. h. es handelt sich dabei eindeutig um Traditionen, die in den kulturellen Kontext des babylonischen Judentums gehören. Die Juden Babyloniens leiteten sich selbstbewußt und stolz von den Juden ab, die nach der Eroberung Jerusalems durch den babylonischen König Nebukadnezar (586 v. Chr.) nach Babylon exiliert wurden (babylonisches Exil) und die nach dem Edikt des Kyros (538 v. Chr.) nicht in ihre Heimat zurückkehrten. Sie rivalisierten mit ihren palästinischen Glaubensgenossen um die religiöse und politische Vorherrschaft im antiken Judentum. Dies ist deswegen wichtig, weil die Juden der beiden großen Zentren des antiken/spätantiken Judentums unter völlig verschiedenen historischen, sozialen und kulturellen Bedingungen lebten: die Juden Palästinas in einem elementar christlichen Umfeld, in dem das Christentum sich immer stärker von seiner jüdischen Schwesterreligion ab-

---

20 Für eine ausführliche Behandlung des Themas siehe Peter Schäfer: *Jesus im Talmud.* Übers. von Barbara Schäfer. Tübingen ²2010.

setzte und seine jüdischen Mitbürger zunehmend unterdrückte und verfolgte; die Juden Babyloniens in einem persisch-sassanidischen Umfeld, das von der Zoroastrischen Religion geprägt war, in dem die Juden sich sehr viel besser mit der persischen Oberhoheit arrangierten und nicht sie, sondern die Christen als Staatsfeinde verfolgt wurden. Ich habe argumentiert, daß diese sehr verschiedene historische Ausgangslage ganz entscheidend für die unterschiedlichen jüdischen Reaktionen auf das Christentum war. Es sind die babylonischen Juden, die es sich im Gegensatz zu ihren palästinischen Brüdern und Schwestern leisten konnten, polemisch gegen Jesus und das Christentum zu Felde zu ziehen. Der Kern und vielleicht auch Ursprung der antichristlichen jüdischen Polemik liegt in Babylonien.

2. Die Aussagen über Jesus und das Christentum bilden (noch) keine zusammenhängende Erzählung, sondern sind weit über den babylonischen Talmud verstreut. Sie finden sich dort in ganz unterschiedlichen Kontexten, in denen es in den meisten Fällen um Themen geht, die mit dem Christentum gar nichts zu tun haben, d. h. sie sind eher beiläufig anläßlich eines ganz anderen Themas in die talmudische Diskussion eingestreut. Aber auch hier fallen wieder die Herkunft und die Hinrichtung Jesu als die eindeutigen Schwerpunkte der Überlieferung auf. Ich möchte aus diesen beiden Themenkomplexen zwei Beispiele vorstellen, um die sehr spezifische Diskussion des Talmuds zu verdeutlichen.

Die *Herkunft Jesu* kommt in einer Passage zum Ausdruck, die sich nur in den unzensierten Talmudhandschriften findet (wer in einer der üblichen Talmudausgaben oder auch Übersetzungen nachschlägt, wird diesen kurzen Passus nicht finden: er wurde von der christlichen Zensur gestrichen). Der Kontext handelt von einem gewissen ben Stada (»Sohn des Stada«), der Zaubersprüche von Ägypten nach Palästina eingeführt haben soll, indem er sie sich auf seine Haut tätowierte. Der unzensierte Text fährt danach mit der völlig unvermittelten Frage fort:[21]

> »(War er) der Sohn von Stada (und nicht ganz im Gegenteil) der Sohn von Pandera?«
> Rav Chisda sagte: »Der Ehemann (*baʿal*) war Stada, (und) der Liebhaber (*boʿel*) war Pandera.«

Hier haben wir es mit einem typischen Talmudtext zu tun, dessen diskursives Verfahren für den uneingeweihten Leser bzw. Hörer nur schwer nachzuvollziehen ist, denn er arbeitet mit Voraussetzungen, die nicht eigens erklärt werden, sondern die nur der Kenner aus der implizit mitgedachten Tradition erschließen kann. Zunächst muß man wissen, daß »er« niemand anders ist als Jesus – dies hat auch der christliche Zensor richtig erkannt. Dieser Jesus, so die weitere Voraussetzung des Talmuds, wird manchmal ben Stada (»Sohn des Stada«) und manchmal ben Pandera (»Sohn des Pandera«) genannt. Der anonyme Fragesteller, auch dies ist typisch gerade für den babylonischen Talmud, interessiert sich eigentlich gar nicht für Jesus, sondern möchte nur den logischen Widerspruch in der ihm bekannten Überlieferung aufklären: Wer war Jesus denn nun, der Sohn von Stada oder der Sohn von Pandera, denn er kann schwerlich der Sohn von zwei verschiedenen Vätern sein.

---

21 Babylonischer Talmud (b) Schabbat 104b; Parallele b Sanhedrin 67a. Ich zitiere b Schabbat nach der Handschrift München 95, die 1342 in Paris geschrieben wurde. Der Kontext in b Sanhedrin ist ein anderer, aber der Zensor hat die Passage an beiden Stellen gestrichen.

Die Stada-Tradition ergibt sich aus dem Kontext, wonach dieser ben Stada die Kunst der Zauberei von Ägypten nach Israel gebracht haben soll. Der Talmud weiß hier offensichtlich auch um die häufig bezeugte Verbindung von Jesus mit Zauberei und um die neutestamentliche Tradition der Flucht der heiligen Familie nach Ägypten. Die Pandera-Tradition dagegen deckt sich mit der oben erwähnten Behauptung des Kelsos, daß ein römischer Soldat mit Namen Panthera der Liebhaber von Jesu Mutter gewesen sei. In einem ersten Schritt löst Rav Chisda den vermeintlichen Widerspruch genau in diesem Sinne auf: Stada war der angetraute Ehemann Miriams/Marias; Pandera war ihr Liebhaber. Im Hebräischen ist dies ein ironisches Wortspiel (*ba'al* versus *bo'el*), in dem der Wortstamm lediglich eine kleine, aber folgenreiche Lautverschiebung erfährt. Darauf folgt ein anonymer Einwand:

> »(Aber war nicht) der Ehemann (*ba'al*) Pappos ben Jehuda und (hieß nicht) seine Mutter Stada?«

Der unbekannte Kontrahent Rav Chisdas führt die unterschiedlichen Herkunftsbezeichnungen Jesu schlicht darauf zurück, daß Stada der Name seiner Mutter und ein Gelehrter mit Namen Pappos ben Jehuda sein Vater war. Diese Erklärung könnte die angebliche Abstammung von dem römischen Soldaten Pandera/Panthera und folglich auch den Vorwurf des Ehebruchs erledigen, gäbe es da nicht eine andere Erzählung über eben diesen Pappos im Talmud, wonach dieser, wenn er sein Haus verließ, seine Frau dort einzusperren pflegte – weil er nämlich allen Grund hatte, an ihrer ehelichen Treue zu zweifeln.[22] Der dritte und letzte Teil der talmudischen Mini-Diskussion bestätigt diese Interpretation:

»(Nein,) seine Mutter war (nicht Stada, sondern) Miriam, die (Frau, die dafür bekannt war, daß sie ihr) Frauenhaar lang wachsen ließ.«[23] Das ist es, was man über sie [Miriam] in Pumbeditha sagt: »Diese ist abgewichen von/war untreu ihrem Ehemann.«

Der Redaktor des Talmuds spricht das abschließende Urteil: Jesu Mutter hieß nicht Stada, sondern Miriam; Stada war nur ihr Beiname, und den erhielt sie, weil sie ihrem Ehemann untreu war. Dies beruht wieder auf einem hebräisch-aramäischen Wortspiel: »Stada« läßt sich von der Wurzel *satah* ableiten, die »vom rechten Pfad abweichen, untreu werden« bedeutet; als »Stada« ist Miriam somit eine *sotah*, eine Frau, die man des Ehebruchs verdächtigte bzw. überführte. Daraus folgt dann auch, daß Jesus ein Bastard oder uneheliches Kind war, hebräisch ein *mamzer*. Um als solcher eingestuft zu werden, ist es unerheblich, ob der biologische Vater tatsächlich der Liebhaber der Mutter oder doch ihr legaler Ehemann war. Die Tatsache allein, daß Miriam einen Liebhaber hatte, macht den rechtlichen Status ihres Kindes fragwürdig. Dieser Punkt wird in allen weiteren jüdischen Versionen der Geburtsgeschichte Jesu eine zentrale Rolle spielen.

Mein zweites Beispiel aus der talmudischen Jesus-Überlieferung bezieht sich auf die *Verurteilung und Hinrichtung Jesu*. Hierzu bietet der Talmud eine relativ

---

22 b Gittin 90a. Drastisch dadurch illustriert, daß Pappos mit einem Mann verglichen wird, der, wenn eine Fliege in seinen Becher fällt, den Becher wegstellt und nicht mehr daraus trinkt. D. h. Pappos schließt seine Frau nicht nur ein, sondern er meidet auch den sexuellen Verkehr mit ihr, weil sie möglicherweise unrein geworden ist.

23 Zu der komplizierten Textüberlieferung siehe Schäfer: *Jesus im Talmud*, S. 33 und 36 f.

ausführliche Diskussion, von der ich nur einen Teil wiedergebe:[24]

> [Am Vorabend des Sabbat und][25] am Vorabend des Pessachfestes[26] wurde Jesus von Nazareth gehängt.[27] Und ein Herold ging 40 Tage vor ihm aus (und verkündete): »Jesus von Nazareth wird hinausgeführt, um gesteinigt zu werden, weil er Zauberei praktiziert und Israel aufgewiegelt und (zum Götzendienst) verführt hat. Jeder, der etwas zu seiner Entlastung weiß, soll kommen und es vorbringen.« Aber weil man nichts zu seiner Entlastung fand, hängte man ihn [am Vorabend des Sabbat und][28] am Vorabend des Pessachfestes.

Dieser kurze Text ist nur verständlich, wenn wir ihn mit der rabbinischen Halakhah (Gesetzgebung) und dem neutestamentlichen Bericht vergleichen. Zunächst die Todesstrafe: Hier wissen wir aus dem Neuen Testament, daß Jesus gekreuzigt wurde; von Erhängen (es sei denn, man versteht die Kreuzigung als am Kreuz »aufhängen«) oder von Steinigung ist dort nicht die Rede. Nach talmudischem Recht ist die Steinigung die am meisten verbreitete Todesstrafe; das Erhängen ist nicht die eigentliche Todesart, sondern bezieht sich auf das postmortale Erhängen einer zu Tode gesteinigten Person als öffentliche Kundmachung, daß die

---

24 b Sanhedrin 43a. Siehe dazu ausführlich Schäfer: *Jesus im Talmud*, S. 129 ff.

25 So nur in der (wichtigen) Handschrift Florenz II.I.8–9.

26 Danach fiel der Tag der Hinrichtung Jesu auf den Vorabend des Pessachfestes, der zugleich der Vorabend des Sabbats war. Diese Tradition findet sich im Neuen Testament nur im Johannesevangelium (Joh. 19:31).

27 Wörtlich: »hängten sie ihn«.

28 So wieder nur in der Handschrift Florenz.

Todesstrafe vollstreckt wurde (man sieht das in unserem Text noch an dem Schwanken zwischen »hängen«, »steinigen«, »hängen«). Der Talmud besteht also, anders als das Neue Testament, auf der jüdischen Todesstrafe der Steinigung gegenüber der römischen Todesstrafe der Kreuzigung. Er ist damit völlig im Einklang mit der Mischna, dem ältesten rabbinischen Gesetzeskodex, der dem Talmud zugrunde liegt:[29]

> Und der Herold geht vor ihm [dem Verurteilten] her (und ruft vor ihm aus): »NN, Sohn von NN, wird herausgeführt, um gesteinigt zu werden, weil er jene Übertretung begangen hat. NN und NN sind seine Zeugen. Jeder, der etwas zu seinen Gunsten weiß, komme und teile es mit.«

Als Gründe für die Todesstrafe werden Zauberei angegeben sowie das Verbrechen, Israel zum Götzendienst verführt zu haben. Den Vorwurf der Zauberei kennen wir schon aus den Spekulationen über die Herkunft Jesu, und beides, Zauberei wie vor allem Götzendienst, verdient nach der Halakhah die Todesstrafe – die Zauberei, wenn es sich nicht nur um magische Tricks handelt (die erlaubt sind), sondern um tatsächlich praktizierte Magie; und der Götzendienst, wenn jemand eine Einzelperson oder gar, wie in diesem Fall, ganz Israel zum Götzendienst verleitet.[30]

Der Prozeß Jesu ist im Neuen Testament in allen vier Evangelien ausführlich, wenn auch mit gewichtigen Unterschieden, behandelt. Vom Vorwurf des Götzendienstes ist dort nicht ausdrücklich die Rede, wohl aber – in der Ge-

---

29 Mischna (m) Sanhedrin 6:1.
30 m Sanhedrin 6:4; 7:10; 10:4.

richtsverhandlung vor dem Hohen Rat – von der Anklage wegen Gotteslästerung: Als Jesus auf die Frage des Hohenpriesters, ob er der Messias und der Sohn Gottes sei, sich als der Menschensohn – d. h. als Messias, und damit nach neutestamentlichem Verständnis als Sohn Gottes – zu erkennen gibt, lautet das einhellige Verdikt auf Gotteslästerung.[31] Da die rabbinischen Quellen oft Götzendienst und Gotteslästerung kombinieren,[32] darf man davon ausgehen, daß auch im Neuen Testament beides gemeint ist. Und was den Vorwurf der Zauberei betrifft, so behaupten die (falschen) Zeugen im Neuen Testament, daß Jesus sich damit gebrüstet habe, er könne den Tempel zerstören und in drei Tagen wieder aufbauen[33] – eine Anschuldigung, die leicht als Vorwurf der Zauberei verstanden werden konnte. Außerdem spielt Jesu Praxis, böse Geister zu vertreiben, eine große Rolle in den Evangelien und wird dort auch ausdrücklich mit dem Messiasanspruch verknüpft.[34]

Und schließlich das Gerichtsverfahren. Unser Talmudtext betont zwei wichtige Elemente der rabbinischen Kapitalgerichtsbarkeit, die zu einem ordentlichen Prozeß gehören: wenigstens zwei Zeugen müssen das Verbrechen unabhängig voneinander bestätigen, und ein Herold muß dies öffentlich verkünden und mögliche Entlastungszeugen auffordern, sich zu melden.[35] Der Bericht im Neuen Testament weiß von den Zeugen,[36] stellt aber fest, daß das

31 Mt. 26:62–65; Mk. 14:61–64; Lk. 22:66–71; Joh. 19:7.

32 m Sanhedrin 6:4; 7:4.

33 Mt. 26:61; Mk. 14:58.

34 Mt. 12:23 f.; Mk. 3:22; Lk. 11:14 f.

35 So schon m Sanhedrin 6:1.

36 Mt. 26:59; Mk. 14:55 f.

Gerichtsverfahren von vornherein eine Farce war und daß der Hohe Rat, weil er keine echten Zeugen auftreiben konnte, gezielt falsche Zeugen bemühte.[37] Im Gegensatz zum Neuen Testament insistiert der Talmud, daß das Verfahren nach allen Regeln der rabbinischen Rechtsprechung abgelaufen sei, ja in seiner Korrektheit diese noch übertroffen habe. Während nämlich nach der Mischna der Herold am Tag der Hinrichtung vor dem zum Tode Verurteilten hergeht, das Verbrechen und die Zeugen benennt und Entlastungszeugen auffordert, sich zu melden,[38] spricht der Talmud von 40 Tagen, d. h. der Herold tritt entweder am vierzigsten Tag oder 40 Tage lang (vierzigmal) *vor* dem Hinrichtungstermin auf und verkündet seine Botschaft. Was auch immer gemeint ist, die Absicht des Talmuds ist offenkundig: Er legt größten Wert auf die Entlastungszeugen und möchte diesen eine möglichst lange Frist geben, sich zu offenbaren.

Warum legt der Talmud solchen Nachdruck auf ein korrektes Verfahren der Verurteilung und Hinrichtung Jesu nach jüdischem Recht? Ich möchte argumentieren, daß dies kein krudes Mißverständnis war oder schlicht auf Unkenntnis der historischen Umstände beruhte – ganz im Gegenteil. Selbstverständlich wußten die Autoren und Redaktoren des Talmuds, daß Jesus nach römischem Recht verurteilt wurde und daß die Juden zur Zeit Jesu keine Kapitalgerichtsbarkeit mehr ausüben konnten. Dies ist genau der Punkt: Der Talmud setzt ganz bewußt und in voller Kenntnis der historischen Wirklichkeit seine jüdische

37 Ibid.
38 m Sanhedrin 6:1.

Gegenerzählung gegen die Erzählung des Neuen Testaments. Nach dieser Gegenerzählung wurde Jesus unter skrupulöser Beachtung der gesetzlichen Vorschriften – skrupulöser noch als es der rabbinische Gesetzeskodex vorschreibt – völlig zu Recht verurteilt. Wir Juden, so sagt er, müssen uns den Vorwurf des Gottesmordes von den Christen nicht aufzwingen lassen. Jesus war ein Mensch wie jeder andere, der in einem legalen Verfahren als Gotteslästerer und Volksverführer entlarvt wurde und deswegen hingerichtet werden mußte. Auch dieser Punkt wird in Zukunft zum Standardrepertoire der jüdischen Polemik gegen Jesus und das Christentum gehören.

»Toledot Jeschu«

Der Talmud bietet, wie ich schon betont habe, keine fortlaufende Erzählung vom Leben und Sterben Jesu, sondern nur versprengte Einzelüberlieferungen. Die Forschung streitet sich darüber, ob diese Elemente eine zusammenhängende Erzählung voraussetzen und dieser entnommen wurden, oder ob es erst nach dem Abschluß des Talmuds zu einer redaktionell gestalteten Komposition kam, die es verdient, eine jüdische Lebensgeschichte Jesu genannt zu werden. Wir haben eine solche Lebensgeschichte unter dem Namen *Toledot Jeschu* (was wörtlich genau dies bedeutet: die Geschichte oder besser Lebensgeschichte Jesu), aber die große Frage ist, wie wir diese zeitlich und auch geographisch genauer einordnen können. Ich will hier nicht auf die sehr kontrovers geführte Diskussion darüber eingehen und nur so viel festhalten: Eine Komposition, die den Namen *Toledot Jeschu* (oder irgendeinen anderen Titel) verdient,[39] fiel nicht von Himmel, sondern steht am Ende einer langen und komplizierten Entwicklung. Was wir eruieren können, sind verschiedene Konfigurationen, thematisch gestaltete literarische Brennpunkte, die sich weiter anreichern, neu zusammengefügt werden und sich schließlich zu immer ausführlicheren und oft sehr unterschiedlichen Versionen eines Narrativs *Toledot Jeschu* herausbilden. Der handschriftlich dokumentierte Verlauf dieses Narrativs reicht vom 9./10. Jahrhundert n. Chr.[40] bis in die Neuzeit, wobei die ausführlichsten Handschriften alle spät entstanden sind und in die frühe Neuzeit bzw. sogar in die Neuzeit gehören.

Der sprachliche Duktus und der Stil der *Toledot Jeschu* sind singulär in der gesamten jüdischen Literatur. Wie schon mehrfach betont, handelt es sich um ein durchgehendes Narrativ, das sich – in unterschiedlichen Graden in den verschiedenen Versionen – am Narrativ der Evangelien des Neuen Testaments orientiert.[41] Damit unterscheiden sich die *Toledot* von der klassischen polemischen Literatur des Mittelalters, die kontroverse Fragen in Form von thema-

---

39 Ich beziehe mich im folgenden auf die Edition *Toledot Yeshu. The Life Story of Jesus. Two Volumes and Database*. Hg. und übers. von Michael Meerson und Peter Schäfer. Bd. 1: *Introduction and Translation*. Bd. 2: *Critical Edition*. Tübingen 2014. Zu den verschiedenen Titeln siehe Bd. 1, S. 40 ff.

40 Das älteste Geniza-Fragment läßt sich wahrscheinlich in das 10. Jahrhundert datieren (siehe unten), aber die Zitate bei Agobard, dem Bischof von Lyon (siehe unten), stammen aus dem 9. Jahrhundert. Das heißt, der älteste handschriftliche Beleg des Narrativs *Toledot Jeschu* findet sich nicht in jüdischen Handschriften, sondern bei einem christlichen Autor.

41 Zum literarischen Genre des Narrativs in der hebräischen Literatur des Mittelalters siehe Eli Yassif: »*Toledot Yeshu*«. *Folk-Narrative as Polemics and Self Criticism*, in: Peter Schäfer, Michael Meerson und Yaacov Deutsch (Hg.): *Toledot Yeshu* (»*The Life Story of Jesus*«) *Revisited. A Princeton Conference*. Tübingen 2011, S. 101–135, hier S. 104 ff. Yassif definiert das hebräische Narrativ als »full autonomous story independent of any literary context« und datiert seine Entstehung in das islamische Babylonien des 8. Jahrhunderts (ibid., S. 104).

tisch gegliederten Anthologien erörtert.[42] Der Tenor dieses Narrativs ist über weite Strecken negativ und läßt sich am besten als Parodie charakterisieren: Parodistische Verzerrungen und Übertreibungen werden ganz gezielt eingesetzt, um den Gegner bloßzustellen, herabzusetzen und zu verleumden. Dies geschieht in der Regel durch die bewußte Umkehrung der Aussageabsicht des Neuen Testaments. Zentrale Themen der Evangelien wie Jungfrauengeburt, Erlösung durch den Tod am Kreuz, Himmelfahrt werden persifliert und verspottet. Die Hörer oder Leser – sowohl das ursprünglich intendierte Publikum als auch der moderne Rezipient – mußten bzw. müssen sich auf Texte einstellen, die als Verhöhnung der christlichen Religion verstanden werden können und auch sollen.

Verschiedentlich ist in der Forschung gefragt worden, aufgrund welcher historischen Umstände es zu einer derart extremen jüdischen Gegenerzählung zur christlichen Botschaft kommen konnte. Die Antwort darauf kann nicht einheitlich sein, sondern muß sich an dem langen Entwicklungsprozeß der *Toledot Jeschu* in ihren wichtigsten Versionen orientieren, die auf je unterschiedliche historische Bedingungen antworten und von denen ich nur einige

---

42 Die wahrscheinlich älteste erhaltene (vielleicht schon auf das 6. Jahrhundert zurückgehende) und möglicherweise ursprünglich in Arabisch geschriebene Polemik ist die von einem unbekannten Autor verfaßte Streitschrift *Sefer Nestor Ha-Komer* (»Das Buch von Nestor dem Priester«): Daniel J. Lasker und Sarah Stroumsa: *The Polemic of Nestor the Priest. Qiṣṣat Mujādalat al-Usquf and Sefer Nestor Ha-Komer.* Bd. 1: *Introduction, Annotated Translations and Commentary.* Bd. 2: *Introduction and Critical Edition* [Hebr.]. Jerusalem 1996. Als klassischer Höhepunkt der polemischen Gattung gilt der *Nizzachon Vetus* (»Das alte Buch der Polemik«) vom Ende des 13./Anfang des 14. Jahrhunderts: David Berger: *The Jewish-Christian Debate in the High Middle Ages. A Critical Edition of the Nizzahon Vetus.* Philadelphia 1979. Einen guten Überblick über die polemische Literatur einschließlich der Berichte über die Disputationen bietet Hanne Trautner-Kromann: *Shield and Sword. Jewish Polemics against Christianity and the Christians in France and Spain from 1100–1500.* Tübingen 1993.

wenige vorstellen kann. In der zusammenfassenden Übersicht am Schluß dieses Essays werde ich versuchen, die Unterschiede im jeweiligen historischen Umfeld wenigstens ansatzweise herauszuarbeiten.

Die erste Konfiguration einer zusammenhängenden Erzählung *Toledot Jeschu* findet sich in einem Konvolut von Handschriften bzw., genauer, Handschriften-Fragmenten, die in der Kairoer Geniza[43] entdeckt wurden und damit zum orientalischen Zweig der jüdischen Textüberlieferung gehören. Die Sprache der meisten Fragmente ist Aramäisch; das älteste Fragment stammt wahrscheinlich aus dem 10. Jahrhundert. Diese Datierung des physischen Fragmentes besagt allerdings nichts über das Alter des darin überlieferten Textes. Neuere Forschungen, die sich auf die sprachlichen Eigenarten des Textes stützen, gehen davon aus, daß es sich bei dem verwendeten aramäischen Dialekt um Jüdisch-Babylonisches Aramäisch handelt, eine Sprachform, die frühestens in das 6. Jahrhundert n. Chr. zu datieren ist.[44] Damit hätten wir nicht nur einen zeitlichen (nicht vor dem 6. Jahrhundert), sondern auch einen geographischen Anhaltspunkt: die hier erhaltene Version der *Toledot Jeschu* entstand sehr wahrscheinlich in Babylonien, d. h. in demselben kulturellen Milieu, in dem auch die versprengten Elemente des babylonischen Talmuds beheimatet sind. Wir

---

43 In einer Geniza werden Schriften »versteckt«, die unbrauchbar geworden sind und nicht zerstört oder weggeworfen werden dürfen, weil sie den Gottesnamen enthalten können. In der Kairoer Geniza, einer zugemauerten Dachbodenkammer, wurde Ende des 19. Jahrhunderts ein umfangreiches Archiv von Texten und Textfragmenten wiederentdeckt.

44 Dazu Michael Sokoloff: *The Date and Provenance of the Aramaic »Toledot Yeshu« on the Basis of Aramaic Dialectology*, in Schäfer/Meerson/Deutsch (Hg.): *Toledot Yeshu (»The Life Story of Jesus«) Revisited*, S. 13–26.

dürfen daher mit aller Vorsicht annehmen, daß der Ursprung der Überlieferungsgeschichte der *Toledot Jeschu* in Babylonien zu suchen ist und daß die jüdische Polemik gegen Jesus dort ihren Ausgang nahm.

Orientalische Fassung

Diese älteste greifbare Version der *Toledot Jeschu* ist nur in Fragmenten erhalten;[45] wir müssen daher mit Spekulationen über den genauen Inhalt dieser Komposition vorsichtig sein. Dennoch haben wir ein relativ klares Bild von den einzelnen Elementen der Erzählung, zumal einige Fragmente den Anfang und andere das Ende überliefern. Die wichtigste Erkenntnis daraus ist die, daß die orientalische Fassung der *Toledot Jeschu* keine jüdische Version der Geburtsgeschichte enthält (wir hatten gesehen, daß auch der Talmud nur ganz kurz über die Eltern Jesu spekuliert, aber keine Geburtsgeschichte im eigentlichen Sinne bietet). Die Erzählung setzt erst mit der öffentlichen Wirksamkeit von Jesus und Johannes ein, genau wie im Neuen Testament die Evangelisten Markus und Johannes; nur Matthäus und vor allem Lukas haben eine elaborierte Geburtsgeschichte. Unsere aramäische Geschichte ist eine Mischung aus historischer Wirklichkeit und rabbinischer Phantasie:[46] Johannes

---

45 Mit Ausnahme der vollständigen Handschrift New York JTS 8998, die aber ebenfalls zu dieser Gruppe gehört, weil sie keine Geburtsgeschichte enthält; dazu Meerson/Schäfer: *Toledot Yeshu*, Bd. 2, S. 58 f.

46 Ich folge hier im wesentlichen der Handschrift Cambridge University Library T.-S. Misc. 35.87; Edition in Meerson/Schäfer: *Toledot Yeshu*, Bd. 2, S. 49 ff.; Übersetzung in ibid., Bd. 1, S. 127 ff.

ist der Lehrer (und nicht, wie im Neuen Testament, der Vorläufer Jesu), und beide, Lehrer und Schüler, treten zuerst in Galiläa auf, um das Volk Israel in die Irre zu führen. Der Statthalter ist (korrekt) Pilatus, aber der römische Kaiser ist nicht Augustus, sondern sein Nachfolger Tiberius (offensichtlich deswegen, weil die Stadt Tiberias am See Genesareth eine wichtige Rolle in den *Toledot Jeschu* spielt). Jesus (im hebräischen Text Jeschu)[47] und Johannes (Jochanan) werden von den Rabbinen der Volksverführung angeklagt, und Kaiser Tiberius (Tiberius Caesar im Text), nicht Pilatus, macht ihnen in der Stadt Tiberias (nicht in Jerusalem) den Prozeß. Als erstes fragt er sie nach ihrem Beruf, worauf sie unverfroren antworten: »Wir sind die Söhne des Himmelsgottes«, und ihr Beruf sei es, Menschen je nach Bedarf zu heilen oder zu töten. Als besonders eindrückliches Beispiel ihrer magischen Kräfte führen sie an, daß sie nicht nur unfruchtbare Frauen schwanger machen, sondern sogar eine Frau ohne die Mitwirkung eines Mannes schwängern können. Damit ist natürlich das entscheidende Thema angeschlagen, und Tiberius geht sofort darauf ein.

Der Kaiser hat eine jungfräuliche Tochter, die noch nie mit einem Mann verkehrt hat – könnt ihr dafür sorgen, daß sie ohne einen Mann schwanger wird? Nichts leichter als das, ist Jeschus Antwort: Er flüstert Zauberworte über sie, und sie wird tatsächlich schwanger. Als der Kaiser wissen will, ob das Kind eine Junge oder ein Mädchen wird, versichert Jeschu ihm, daß sie auch dies steuern können. Darauf sperrt Tiberius die beiden Magier ins Gefängnis, um die

---

47 Ich verwende den hebräischen Namen Jeschu im Folgenden immer dann, wenn ich direkt aus den *Toledot Jeschu* referiere.

neun Monate der Schwangerschaft seiner Tochter abzuwarten. Als nach den neun Monaten nichts passiert, behauptet Jeschu, daß manche jüdische Frauen erst nach zwölf Monaten gebären – möglicherweise folge die Tochter des Kaisers diesem jüdischen Brauch. In Wirklichkeit aber, so erklärt der Autor der Erzählung seinen Lesern, hat Gott den Fötus im Schosse der Kaisertochter in einen Stein verwandelt. Als nach zwölf Monaten immer noch nichts passiert, bietet sich Jeschu an, den Bauch der Tochter zu öffnen und das Kind lebendig herauszuholen. Der Kaiser erlaubt dies, Jeschu öffnet den Bauch (wie genau, wird nicht gesagt), und heraus kommt der Stein. Der Kaiser verlangt von Jeschu, den Stein lebendig zu machen (was mit seiner Tochter geschieht, interessiert ihn offenbar nicht; von der armen Tochter ist nicht mehr die Rede). Jeschu flüstert seine Zauberformeln, aber diesmal versagen sie. Johannes wird sofort hingerichtet, doch Jeschu entkommt zunächst.

Dies ist eine böse Parodie der Jungfrauengeburt, die wir in dieser Form hier zum erstenmal hören. Der angebliche Sohn Gottes, dessen Mutter ohne die Mitwirkung eines irdischen Mannes schwanger wurde, versucht diesen Zauber an der Tochter des irdischen Kaisers – und versagt. Damit ist er als Hochstapler entlarvt, der zwar töten, aber eben nicht heilen und schon gar nicht einen lebendigen Menschen erschaffen kann. Medizinisch ist unsere Erzählung der erste Beleg für einen Kaiserschnitt in der jüdischen Literatur, und das Steinkind (*lithopedion*) der erste Beleg für eine extrauterine Schwangerschaft, also eine Schwangerschaft außerhalb der Gebärmutter, bei der der Fötus im Unterleib der Frau abstirbt und verkalkt. Sowohl der Kaiserschnitt als auch das Steinbaby sind erstmals im islamischen Orient (8.–9. Jahrhundert n. Chr.) bezeugt und bestätigen damit den orientalischen Hintergrund unserer Erzählung.[48]

Im Folgenden liefert sich Jeschu einen Flug-Wettstreit mit einem Rabbi (beide erheben sich mit Hilfe magischer Beschwörungen in die Luft, und jeder versucht den anderen zu Fall zu bringen), den der Rabbi schließlich gewinnt: Jeschu wird dem jüdischen Gericht übergeben und zur Hinrichtung abgeführt. Die Art der Hinrichtung in der ältesten Handschrift ist ein weiterer parodistischer Höhepunkt der Erzählung: »Sie hoben ihn hoch«, sagt der Text wörtlich, »und hängten ihn[49] an einen Kohlstrunk.« Danach steinigten sie ihn, an dem Kohlstrunk hängend, und töteten ihn.[50] Wir haben gesehen, daß nach dem Talmud Jesus zuerst gesteinigt und dann postmortal als sichtbares Zeichen der vollzogenen Hinrichtung aufgehängt wurde (an einem Kreuz oder Galgen). Hier ist die Reihenfolge umgedreht: Jeschu wird an den Kohlstrunk gehängt, der als Kreuz oder Galgen dient, und danach zu Tode gebracht.

Das Aufhängen an einem Kohlstrunk bedeutet die denkbar größte Erniedrigung des Verurteilten. Unser Autor weiß wahrscheinlich gar nicht mehr, daß die Kreuzigung in der Antike die Todesstrafe für Nichtrömer war, vor allem für entlaufene und aufständische Sklaven, also für die Gemeinsten der gemeinen Verbrecher. Indem er ausgerechnet einen Kohlstrunk, also eine minderwertige Pflanze, die nicht gerade als kulinarischer Leckerbissen gilt, zum Kreuz oder

---

48 Michael Meerson: *Yeshu the Physician and the Child of Stone. A Glimpse of Progressive Medicine in Jewish-Christian Polemics*, in: *Jewish Studies Quarterly* 20 (2013), S. 297–314.

49 Wörtlich »kreuzigten ihn«.

50 Text in Meerson/Schäfer: *Toledot Yeshu*, Bd. 2, S. 55; Übersetzung in ibid., Bd. 1, S. 133.

Galgen umfunktioniert, macht der Verfasser den Möchte-gern-Gott Jesus zu einer jämmerlichen und lächerlichen Figur.

Aber wie kommt unser Autor ausgerechnet auf den Kohlstrunk als Galgen oder Kreuz, an dem Jesus aufge-hängt wurde? Sicher, er gibt Jesus der Lächerlichkeit preis, aber wie kann ein Kohlstrunk den Körper eines erwachse-nen Mannes tragen, ohne zusammenzubrechen? Diese Frage hat die *Toledot Jeschu*-Forschung seit langem beschäftigt und bisher nicht zufriedenstellend beantwortet. Man hat vorgeschlagen, das Wort für »Kohl« (*keruv*) zu emendieren, aber alle Verbesserungsvorschläge[51] scheitern daran, daß sie in keiner Handschrift bezeugt sind. Wir müssen uns also mit dem Kohl abfinden, und erst kürzlich hat Michael Meerson einen neuen und wie mir scheint überzeugenden Vorschlag gemacht.[52] Die antike Botanik kennt den wilden Kohl als eine Pflanze, die bis zu drei Meter groß werden kann und deswegen auch als »Baum« bzw. »Baum-Pflanze« klassifiziert wird.[53] Wenn er blüht, entwickelt er kreuzför-mige Blüten (*cruciferae*). Legt dieser Name der Blüten schon die Assoziation an das Kreuz nahe, so führt eine weitere botanische Spur direkt in das Neue Testament: Der wilde Kohl und der wilde weiße Senf gehören zur selben Spezies und sind eng mit der Spezies des wilden schwarzen Senfs verwandt. Letzterer taucht im Neuen Testament als *kokkos sinapeōs* – »Senfkorn« auf:

---

51 *berosch* – »Wacholder«; *charuv* – »Johannisbrotbaum«.

52 Michael Meerson: *Meaningful Nonsense. A Study of Details in »Toledot Yeshu«*, in: Schäfer/Meerson/Deutsch (Hg.): *Toledot Yeshu (»The Life Story of Jesus«) Revisited*, S. 181–195; Meerson/Schäfer: *Toledot Yeshu*, Bd. 1, S. 99 f.

53 Theophrast: *Historia Plantarum* 1.3.4.

(31) Er [Jesus] erzählte ihnen ein weiteres Gleichnis und sagte: »Mit dem Himmelreich ist es wie mit einem Senfkorn (*kokkō sinapeōs*), das ein Mann auf seinem Acker säte. (32) Es ist das kleinste von allen Samenkörnern; sobald es aber hochgewachsen ist, ist es größer als die anderen Gewächse und wird zu einem Baum, so daß die Vögel des Himmels kommen und in seinen Zweigen nisten.«[54]

Folgen wir dieser Spur, sehen wir nicht nur, wie der Kohl zu einem Baum werden konnte, sondern verstehen den Kohlstrunk auch als eine weitere Parodie auf das Neue Testament und die christliche Botschaft: Jesu Himmelreich, das sich angeblich aus einem kleinen Senfkorn zu einem gewaltigen Baum auswachsen wird, ist nichts weiter als eine Chimäre. Der Baum des erhofften Himmelreichs ist in Wirklichkeit der »Baum«, an dem der Urheber der christlichen Irrlehre aufgehängt und zu Tode gebracht wurde. Und deshalb wird dieser Jesus auch nicht, wie er seinen Anhängern vorgaukelt, auferstehen und in den Himmel auffahren. So endet denn unsere aramäische *Toledot Jeschu*-Erzählung folgerichtig mit einer letzten elaborierten Szene, in der der aus dem Neuen Testament bekannte Gärtner[55] den toten Jesus in einem Wasserkanal versteckt: Als die Jünger das leere Grab finden und daraus schließen, daß er auferstanden ist, zerrt der Gärtner die Leiche aus dem Kanal hervor und bringt sie als endgültigen Beweis der christlichen Irrlehre zu Pilatus.

54 Mt. 13:31 f.
55 Joh. 20:15; siehe auch Tertullian, oben S. 13.

»Toledot Jeschu« im lateinischen Westen: Agobard

Der erste Hinweis auf die *Toledot Jeschu*-Erzählung im lateinischen Westen findet sich abermals nicht in einer jüdischen Quelle, sondern bei Agobard (ca. 769–840), dem Bischof von Lyon (seit 816).[56] Agobard war eine der Hauptfiguren der sog. Karolingischen Renaissance. Als Advokat der Rechte der Kirche gegen die wachsenden Ansprüche des Staates positionierte er sich als erklärter Gegner der Juden, denen Ludwig der Fromme, der Nachfolger Karls des Großen (seit 814 n. Chr.), zahlreiche Rechte einräumte. In mehreren seiner Schriften kämpft Agobard gegen die seiner Meinung nach zu positive Behandlung der Juden durch Ludwig; ein Machtkampf zwischen Agobard und Ludwig endet mit der Niederlage Agobards, der seines Bischofsamtes enthoben wird (834 n. Chr.). Agobard hatte offensichtlich Zugang zu jüdischen Quellen – aber sicher nicht im hebräischen oder aramäischen Original, sondern eher durch mündliche Berichte oder auch durch (nicht mehr erhaltene) lateinische Übersetzungen – und zitiert ausgiebig aus ihnen. Eine dieser Quellen ist eindeutig eine frühe Fassung der *Toledot Jeschu*. Ich zitiere einen markanten Ausschnitt:[57]

> In den Lehren ihrer Vorfahren lesen sie [die Juden] auch, daß Jesus unter ihnen als ehrenwerter junger Mann galt, erzogen unter Aufsicht Johannes des Täufers; daß er viele Schüler hatte, von denen er [Jesus] einem den Namen Cepha[58] gab, d. h. Peter,[59] aufgrund

---

56 Dazu Peter Schäfer: *Agobard's and Amulo's »Toledot Yeshu«*, in: Schäfer/Meerson/Deutsch (Hg.): *Toledot Yeshu (»The Life Story of Jesus«) Revisited*, S. 27–48; Meerson/Schäfer: *Toledot Yeshu*, Bd. 1, S. 3 ff.

57 *Patrologia Latina* 104:87b–88a; Lieven van Acker: *Agobardi Lugdunensis opera omnia*. (Corpus Christianorum. Continuatio Mediaevalis 52.) Turnhout 1981, S. 206 f.

der Härte (*duritia*) und Stumpfheit (*hebitudo*) seines Verstandes. Wenn die Leute ihn [Jesus] an einem Feiertag erwarteten, pflegten einige seiner Mitschüler ihm entgegenzulaufen und … »Hosanna dem Sohn Davids« zuzurufen.

Am Ende jedoch, angeklagt schlimmer Verlogenheit, wurde er aber gemäß dem Urteil des Tiberius ins Gefängnis geworfen. Er hatte nämlich in (dem Leib von) dessen Tochter – der er einen männlichen Nachkommen ohne (Mitwirkung eines) Mann(es) versprochen hatte – einen Stein-Fötus implantiert (*lapidis conceptum intulerit*). Darauf wurde er wie ein abscheulicher Magier an einer »Gabel« (*furca*) aufgehängt, wo er mit einem Stein an seinem Kopf getroffen wurde. Auf diese Weise getötet, wurde er in einem Aquädukt begraben, mit dessen Aufsicht ein Jude betraut wurde. In jener Nacht aber wurde der Aquädukt geflutet. Auf Befehl des Pilatus wurde (Jesu Leichnam) 12 Monate lang gesucht, aber nie gefunden.

Wichtige Elemente dieser Fassung kennen wir aus den aramäischen *Toledot*: daß Johannes sein Lehrer war, daß er der Tochter des Kaisers Tiberius eine Schwangerschaft ohne Mitwirkung eines Mannes anzauberte – die sich dann als Stein entpuppte – und daß er in einem Aquädukt begraben wurde.[60] Anders als die aramäischen *Toledot* treibt Ago-

---

58 Aramäisch *kepha* – »Fels, Stein«.

59 Griechisch *petros* – »Fels, Stein«.

60 Der Ausgang ist allerdings anders: In *Toledot Jeschu* wird die Leiche im Aquädukt entdeckt und dann durch die Stadt geschleift, bei Agobard wird sie nie gefunden (was Pilatus als Zeichen der Auferstehung deutet). Anders Amulo, Agobards Nachfolger auf dem Bischofssitz von Lyon, bei dem Jesu Leiche ebenfalls durch die Stadt geschleift wird (Amulo: *Liber contra Judaeos* 40; *Patrologia Latina* 116:168b–169d).

bards Version die Symbolik des Steines noch weiter. Jesus wurde zunächst an einem gabelförmigen Pfahl aufgehängt (der Kohlstrunk fehlt hier)[61] und dann offensichtlich deswegen gesteinigt, weil er im Leib der Kaisertochter eben nur einen Stein kreieren konnte. Und wenn Jesus glaubt, auf dem »Stein« Petrus seine Kirche gründen zu können (»Du bist Petrus, und auf diesem Felsen werde ich meine Kirche bauen«),[62] so täuscht er sich gewaltig: Sein Schüler Petrus heißt nur deswegen »Stein«, weil er geistig hart und unbeweglich ist wie ein Stein; und Jesus, der angebliche Urheber der Kirche, stirbt eines jämmerlichen und endgültigen Todes durch einen Stein.

Es ist offensichtlich, daß es eine Fassung der orientalischen *Toledot Jeschu* war, die Eingang in den lateinischen Westen fand und dort weiter tradiert wurde. Agobard hatte ganz sicher keinen eigenen Zugang zu jüdischen Quellen, sondern wird die Erzählung in der jüdischen Gemeinde von Lyon kennengelernt haben. Wenn man die Verbreitung der *Toledot* im Westen weiter verfolgt, so fällt auf, daß sie vor allem in christlichen Quellen erwähnt und publik gemacht werden, oft auch durch die Vermittlung jüdischer Konvertiten zum Christentum. Das bekannteste Beispiel ist Avner von Burgos (1270–1347), der nach seiner Konversion den Namen Alfonso de Valladolid annahm. In seinem polemischen Hauptwerk *Moreh Tzedeq* (»Lehrer der Gerechtigkeit«) überliefert er zwei längere Zitate aus *Toledot Jeschu*. Leider ist dieses Werk nur in einer kastilianischen Übersetzung erhalten, doch findet sich die ursprüngliche

---

61 Bei Amulo erscheint er als Garten voll mit Kohl, in dem Jesus begraben wird (Amulo: *Liber contra Judaeos* 25; *Patrologia Latina* 116:158a).

62 Mt. 16:18.

hebräische Fassung in der unter dem Titel *Even Bochan* (»Prüfstein«) veröffentlichten Replik des jüdischen Polemikers Schem Tov ben Isaak ibn Schaprut (2. Hälfte des 14. Jahrhunderts). Das eine Zitat ist eng mit der Version Agobards und damit der orientalischen Texttradition verwandt – genau genommen ist es das einzige Zeugnis für die Kenntnis dieses ältesten Überlieferungszweiges im hochmittelalterlichen Europa –, das andere deckt sich weitgehend mit der von Raymundus Martinus überlieferten (aschkenazischen) Fassung.[63] Avner von Burgos bietet also gewissermaßen die Schnittstelle zwischen der orientalischen und der europäischen Texttradition. Genuin jüdische Quellen[64] sind eher dürftig. Hier wird der Text in immer zahlreicher werdenden Handschriften verbreitet, aber eben nicht im eigentlichen Sinne »veröffentlicht«: Er bleibt vorwiegend in gelehrten jüdischen Kreisen, zunächst ausschließlich in Hebräisch,[65] später dann auch in Jiddisch, und wird damit einem breiteren Publikum zugänglich.

Ein Meilenstein in der christlichen Verbreitung des Werkes war die Schrift *Pugio fidei* (»Dolch des Glaubens«) des bereits erwähnten Dominikaners Raymundus Martinus (1220–1285), in der sich viele angeblich antichristliche Auszüge aus jüdischen Werken finden, darunter auch eine Ver-

---

63 Beide Zitate in englischer Übersetzung in Meerson/Schäfer: *Toledot Yeshu*, Bd. 1, S. 13 f.

64 D. h. Quellen, die von bekennenden Juden geschrieben wurden, im Unterschied zu Quellen, die auf jüdische Konvertiten oder Christen zurückgehen.

65 Das Verhältnis der jüdisch-arabischen *Toledot Jeschu*-Fragmente zu den aramäischen und hebräischen Fragmenten/Handschriften ist bisher noch nicht endgültig geklärt. Miriam Goldstein (Hebräische Universität Jerusalem), die eine umfassende Ausgabe und Analyse der erhaltenen jüdisch-arabischen Fragmente vorbereitet, neigt aber zur Priorität der aramäischen Version (mündliche Mitteilung).

sion der *Toledot Jeschu*.[66] Das nach 1264 entstandene, aber erst 1651 gedruckte Werk übte schon in handschriftlicher Form beträchtlichen Einfluß auf die mittelalterliche und frühneuzeitliche Judenfeindschaft aus. Die dort zitierte Version der *Toledot Jeschu* deckt sich weitgehend mit der Fassung, die wir aus aschkenazischen Handschriften kennen, also aus Handschriften, die im »deutschen« (genauer mitteleuropäischen) jüdischen Kulturkreis zu verorten sind (im Unterschied zum orientalischen oder sefardischen Kulturkreis). Um 1420 veröffentlichte dann der Wiener Theologieprofessor Thomas Ebendorfer unter dem Titel *Falsitates Judeorum* (»Die Lügen der Juden«) die älteste lateinische Übersetzung der *Toledot Jeschu*, die mit Hilfe eines jüdischen Konvertiten zustande kam.[67] Ebendorfers *Toledot* gehen ebenfalls auf den aschkenazischen Texttyp zurück, ja sie sind praktisch identisch mit der besten Handschrift dieses Texttyps, die wir kennen und die heute in Straßburg aufbewahrt wird.[68] Im Folgenden stelle ich den Grundriß dieser aschkenazischen Musterhandschrift vor, die mit Recht als die erste »komplette« Fassung der *Toledot Jeschu* bezeichnet wird.[69]

66 Englische Übersetzung in Meerson/Schäfer: *Toledot Yeshu*, Bd. 1, S. 10–12.

67 *Das jüdische Leben Jesu. Toldot Jeschu.* Die älteste lateinische Übersetzung in den *Falsitates Judeorum* von Thomas Ebendorfer, kritisch herausgegeben, eingeleitet, übersetzt und mit Anmerkungen versehen von Brigitta Callsen et al. Wien–München 2003.

68 Beschreibung der Handschrift in Meerson/Schäfer: *Toledot Yeshu*, Bd. 2, S. 39 f.; 79 ff.

69 Dies gilt auch für die Version in *Pugio fidei*, nur fehlt dort die ausführliche Geburtsgeschichte.

Die aschkenazische Fassung der »Toledot Jeschu«

Eines der wichtigsten Kennzeichen der aschkenazischen Texttradition der *Toledot Jeschu* ist die Tatsache, daß sie mit einer ausführlichen Geburtsgeschichte beginnt. Wie wir gesehen haben, kennt die orientalische Texttradition die uneheliche Herkunft Jesu, begründet diese aber nicht weiter. Ganz anders die aschkenazische Fassung. Hier ist Miriam mit Jochanan verlobt, einem angesehenen Gelehrten und Abkömmling des Hauses David. Wie im Neuen Testament (Matthäus) wird also die davidische Herkunft des »Vaters« betont sowie die Tatsache, daß Miriam und Jochanan nicht verheiratet, sondern noch verlobt sind. Sie hatten aber einen Schürzenjäger und Trunkenbold mit Namen Josef zum Nachbarn, der Miriam nachstellte. An einem Sabbatabend, als Jochanan in der Synagoge betet, dringt Josef in ihr Haus ein, gibt vor, Jochanan zu sein, und zwingt Miriam zum Beischlaf, obwohl sie beteuert, daß sie menstruiert und daher für sexuellen Verkehr tabu ist. Trotz ihrer Menstruation wird sie sofort schwanger.[70]

> Eines Nachts, am Abend des Sabbats, kam er [Josef] betrunken am Eingang ihres [Miriams] Hauses vorbei. Er ging zu ihr hinein, und sie dachte in ihrem Herzen, daß er ihr Verlobter Jochanan sei. Beschämt verbarg sie ihr Gesicht, doch der Frevler umarmte und küßte sie.[71] Sie sagte zu ihm: »Rühr mich nicht an, denn ich menstruiere!«, aber er achtete nicht darauf und kümmerte

---

70 Die Übersetzungen folgen, sofern nichts anders vermerkt, der Straßburger Handschrift.

71 So mit der Handschrift JTS 1491 (Lücke in der Straßburger Handschrift).

sich nicht um ihre Worte. Er schlief mit ihr, und sie wurde von ihm schwanger.[72]

Als ihr Verlobter später nach Hause kommt und ebenfalls mit ihr schlafen will, weist sie ihn empört zurück: Er sei ja schon einmal bei ihr gewesen und habe sie trotz ihrer Menstruation zum Verkehr gezwungen – jetzt solle er sie in Ruhe lassen, zumal er vorher nie zweimal in einer Nacht mit ihr geschlafen habe. Da begreifen beide sofort, daß der böse Nachbar Josef sich bei Miriam eingeschlichen hat. Tief beschämt ob dieser Schande verläßt Jochanan seine Verlobte und zieht nach Babylonien. Miriam gebiert ihren Sohn und nennt ihn Jehoschua; erst als ihre Schande öffentlich bekannt wird, erhält er den Namen Jeschu (Jesus).

Hier erfahren wir zahlreiche Einzelheiten, die in späteren Versionen phantasievoll weiter ausgemalt werden sollten. Miriam und Jochanan verkehren bereits vor ihrer Hochzeit sexuell miteinander. Dies wird aber nicht als Übertretung der gesetzlichen Vorschriften gewertet, sondern als völlig »normal« dargestellt. Möglicherweise folgt der Text damit einem für die Antike bezeugten Brauch, wonach Verlobte schon vor ihrer Hochzeit miteinander verkehren können.[73] Daß ihr angeblicher Verlobter mit ihr schlafen will, ist also nicht das Problem: Miriam ist daran gewöhnt. Daß er aber mit ihr schlafen will, obwohl sie menstruiert, verstößt gegen alles geltende Recht – und Miriam versucht auch, sich genau dagegen zu wehren. Da ihre Gegenwehr erfolglos bleibt, ist der später geborene Sohn des bösen Nachbarn Josef nicht

---

72 Text in Meerson/Schäfer: *Toledot Yeshu*, Bd. 2, S. 82; Übersetzung in ibid., Bd. 1, S. 168; Krauss: *Leben Jesu* (siehe unten, Anm. 124), S. 50.

73 Meerson/Schäfer: *Toledot Yeshu*, Bd. 1, S. 167, Anm. 3.

nur ein *mamzer*, ein Bastard, sondern auch ein *ben niddah*, der Sohn einer menstruierenden Frau, die größtmögliche Steigerung der Illegitimität.

Dieser Teil der Erzählung wird in späteren Fassungen immer dramatischer ausgestaltet und gewinnt romanhafte Züge: Der etwas naive Verlobte Jochanan befreundet sich – gegen den ausdrücklichen Rat Miriams, die Böses ahnt – mit dem Ehebrecher Josef. Dieser lädt ihn zu einem Gastmahl ein und macht ihn betrunken, um sich dann ungestört seiner Verlobten widmen zu können. Auch die Mutter Josefs kommt als treibende Kraft hinter der Affäre ins Spiel, die manchmal noch durch mehrere erfolglose Versuche in die Länge gezogen wird. Und auch das Eindringen Josefs in Miriams Haus und Bett wird lustvoll ausgemalt: er verschafft sich bei einem gewaltigen Unwetter unter Blitz und Donner Zutritt in das Haus; alle Lichter gehen aus, und er kann sich ihr um so leichter als vermeintlicher Verlobter nähern.

Nach der Geburt ihres illegitimen Sohnes gibt Miriam ihn bei den besten rabbinischen Lehrern in die Schule. Jeschu erweist sich sehr bald als ein *illui*, ein frühreifes Genie, das nicht nur alle seine Mitschüler, sondern auch seine Lehrer überflügelt. Mit unbotmäßigen Fragen und arrogantem Verhalten treibt er die Rabbinen zur Verzweiflung – die bald ahnen, daß mit diesem Schüler etwas nicht stimmen kann.

> Es gab einen Brauch unter den Gesetzeslehrern, daß kein Knabe oder junger Mann auf dem Weg (an ihnen) vorüberging, ohne sein Haupt zu bedecken und seine Augen auf die Erde zu richten, infolge der Ehrfurcht der Schüler vor ihren Lehrern. Eines Tages nun ging

jener Bösewicht vorbei, während seine Lehrer dicht gedrängt im Tor der Synagoge beisammen saßen – man nannte nämlich (damals) das Lehrhaus Synagoge. Jener Bösewicht ging nun an seinen Lehrern vorbei, aufrecht und unbedeckten Hauptes. Keinem von ihnen entbot er den Gruß, sondern verbeugte sich nur arrogant vor seinem Lehrer. Als er an ihnen vorbei gegangen war, hub einer von ihnen an und sagte: »Er ist ein Bastard!« Der zweite antwortete und sprach: »Ein Bastard und der Sohn einer Menstruierenden!«[74]

Sie laden die Mutter vor, die nach anfänglichem Leugnen gesteht, daß sie von Josef vergewaltigt wurde und daß ihr Verlobter sich deswegen nach Babylonien abgesetzt hat. Die Rabbinen sprechen Miriam jedoch von jeder Schuld frei und lassen sie gehen. Dies ist ein ganz auffallender Zug fast aller Versionen der Geburtsgeschichte: Miriam steht als betrogenes und mißbrauchtes Opfer relativ gut da; der eigentliche Bösewicht ist – neben seinem Vater – Jeschu selbst. Ich habe diesen bemerkenswerten Umstand damit zu erklären versucht, daß wir uns mit der aschkenazischen Geburtsgeschichte im Hohen Mittelalter befinden, d. h. in genau der Zeit, in der die Marienverehrung eine zentrale Rolle in der christlichen Theologie und ganz besonders auch im religiösen Alltag spielt. Die Juden wußten nicht nur davon, sondern versuchten sogar, wie wir aus anderen Quellen wissen, sich daran anzupassen.[75] Gegen die übermächtige und nahezu gottgleiche Gottesmutter zu polemi-

---

74 Text in Meerson/Schäfer: *Toledot Yeshu*, Bd. 2, S. 83; Übersetzung in ibid., Bd. 1, S. 169; Krauss: *Leben Jesu*, S. 51 f.

75 Peter Schäfer: *Weibliche Gottesbilder im Judentum und Christentum.* Frankfurt a. M.–Leipzig 2008, S. 222 ff. und 299 ff.

sieren, war alles andere als opportun, und dies könnte auch die Zurückhaltung gegenüber Miriam in den *Toledot Jeschu* und die Konzentration der Polemik auf Jesus erklären.[76]

Jeschu, der entlarvte Bastard und Sohn einer Menstruierenden, flieht nach Jerusalem. Er stiehlt den im Tempel verborgenen vierbuchstabigen Gottesnamen, das Tetragramm, dem ganz besondere magische Kräfte zugeschrieben werden. Dieser Diebstahl wird in einer phantasievollen Geschichte ausgemalt:

> Im Tempel war der Grundstein (*even schetijjah*), was bedeutet: »Gott (*jah*) hat ihn gegründet (*schat*).«[77] Dies ist der Stein, über den Jakob Öl ausgegossen hat[78] und auf dem die Buchstaben des unaussprechlichen Gottesnamens[79] geschrieben waren. Jeder, der sie lernte, konnte tun, was immer er wollte. Die Weisen aber fürchteten, daß die Jünglinge Israels sie lernen und mit ihnen die Welt zerstören könnten. So trafen sie eine Vorkehrung in dieser Sache, daß man sie [die Buchstaben] nicht erlernen könne: Kupferne Hunde waren an den zwei eisernen Säulen des Brandstättentores (des

---

76 Nur eine einzige Handschrift, die möglicherweise in den byzantinischen Kulturkreis gehört (St. Petersburg RNL EVR 1.274), zeichnet ein zunächst positives Bild von Jesus. Danach verteidigt er einen unrechtmäßig Angeklagten im rabbinischen Gerichtshof und bezichtigt die Rabbinen der Bestechung und Vetternwirtschaft. Seine empörten Kollegen exkommunizieren ihn als Bastard und vertreiben ihn aus dem Gerichtshof. Erst daraufhin wird Jesus abtrünnig und erklärt sich zum Sohn Gottes. Siehe dazu Meerson/Schäfer: *Toledot Yeshu*, Bd. 2, S. 71 ff.; Übersetzung ibid., Bd. 1, S. 157 f.; Eli Yassif: »*Toledot Yeshu*«. *Folk-Narrative as Polemics and Self Criticism*, in: Schäfer/Meerson/Deutsch (Hg.): *Toledot Yeshu* (»*The Life Story of Jesus*«) *Revisited*, S. 113–116. Yassif überinterpretiert diesen absolut singulären Aspekt der *Toledot Jeschu*-Tradition.

77 Zerlegt *schetijjah* in die beiden Bestandteile *schat* und *jah*.

78 Gen. 28:18.

79 Das Tetragramm *JHWH*.

Tempels) aufgehängt,[80] und jeder, der hineinging und jene Buchstaben lernte – sobald er wieder hinausging, bellten die Hunde ihn an; und wenn er auf sie blickte, entfielen die Buchstaben seinem Gedächtnis. Dieser Jeschu kam, lernte sie, schrieb sie auf Pergament, riß seinen Oberschenkel auf, tat das Pergament hinein (in die Wunde) und sprach jene Buchstaben (des Tetragramms) aus,[81] damit das Aufreißen seines Fleisches ihn nicht schmerze. Dann brachte er die Haut wieder an ihre Stelle zurück.[82] Als er hinauskam, bellten die kupfernen Hunde ihn an, und die Buchstaben entfielen seinem Gedächtnis. Er ging nach Hause, schnitt sein Fleisch mit dem Messer auf, nahm (das Pergament mit der) Schrift heraus und lernte die Buchstaben.[83]

Im Besitz des potenten Gottesnamens beginnt Jeschu, wie der Jesus des Neuen Testaments, Schüler um sich zu scharen und sich öffentlich zum Messias zu erklären. Gegen den angeblichen Makel der unehelichen Geburt beruft er sich auf die Jungfrauengeburt und reklamiert die klassischen Bibelverse für sich und seine messianische Sendung:

»Seht doch, genau die, die von mir sagen, ich sei ein Bastard und der Sohn einer Menstruierenden, die wollen nur Größe für sich selbst und streben danach, Herrschaft über Israel auszuüben. Seht ihr denn nicht, daß alle Propheten über den Messias Gottes prophe-

---

80 Die beiden Säulen Boaz und Jachin von 1 Kön. 7:21.

81 Das Verb fehlt im hebräischen Text und ist ergänzt.

82 Bedeckte die Wunde wieder mit Haut.

83 Text in Meerson/Schäfer: *Toledot Yeshu*, Bd. 2, S. 84 f.; Übersetzung in ibid., Bd. 1, S. 170; Krauss: *Leben Jesu*, S. 53.

zeiten, und ich bin dieser Messias. Über mich prophezeite Jesaja und sagte: ›Siehe, die Jungfrau wird schwanger und gebiert einen Sohn, und du sollst seinen Namen Immanuel nennen‹ (Jes. 7:14). Und auch mein Vorfahre David prophezeite über mich und sagte: ›Gott sprach zu mir: Du bist mein Sohn, heute habe ich dich gezeugt‹ (Ps. 2:7). Er zeugte mich ohne männlichen Beischlaf mit meiner Mutter, und jene nennen mich Bastard! Ferner prophezeite er: ›Warum toben die Völker, usw. [Warum machen die Nationen vergebliche Pläne]? Die Könige der Erde lehnen sich auf, usw. [Die Großen haben sich verbündet gegen den Herrn] und gegen seinen Gesalbten‹ (Ps. 2:1 f.). Ich bin dieser Messias, und die, die gegen mich aufstehen, sind Hurenkinder, denn so heißt es in der Schrift: ›Denn sie sind Hurenkinder‹ (Hos. 2:6).«[84]

Beide von Jeschu zitierten Bibelverse (Jes. 7:14 und Ps. 2:7) spielen eine wichtige Rolle im Neuen Testament. Der Vers Jes. 7:14 ist im Hebräischen keineswegs so eindeutig wie in der üblichen deutschen Übersetzung. Das mit »Jungfrau« wiedergegebene Schlüsselwort ist Hebräisch *'almah*, was wörtlich so viel wie »junge Frau« bedeutet und nicht zwangsläufig »Jungfrau« (genauer, eine junge Frau vor der Geburt ihres ersten Kindes). Aber die Septuaginta, die normative griechische Übersetzung der Hebräischen Bibel, übersetzt *'almah* mit *parthenos* – »Jungfrau« und bereitet damit den Weg für die in der Jungfrauengeburt kulminie-

---

84 Text in Meerson/Schäfer: *Toledot Yeshu*, Bd. 2, S. 85; Übersetzung in ibid., Bd. 1, S. 171; Krauss: *Leben Jesu*, S. 53.

rende Genealogie Jesu im Matthäus-Evangelium.[85] Zur Bestätigung der Verkündigung des Engels an Josef, daß das von Maria erwartete Kind auf das Wirken des Heiligen Geistes zurückgeht, zitiert der Evangelist unseren Vers Jes. 7:14 in der Fassung der Septuaginta.

Auch Psalm 2 hat eine lange Auslegungstradition. Er schildert wohl ursprünglich die Thronbesteigung eines judäischen Königs, der von Gott auf dem Zion zum Weltenherrscher eingesetzt wurde. Gott ist nicht im wörtlichen Sinne der Erzeuger und damit der leibliche Vater dieses Königs, sondern er adoptiert ihn als seinen von ihm autorisierten Sohn (V. 7).[86] Auch dieser Vers wird im Neuen Testament mehrfach zitiert.[87] Von besonderem theologischem Gewicht ist die kunstvolle Vorrede zum Hebräerbrief, in der Jesus als Sohn Gottes gepriesen wird, als Abglanz von Gottes Herrlichkeit und Abbild seines Wesens, durch den er die Welt erschaffen, der die Reinigung von den Sünden bewirkt und sich zur Rechten Gottes niedergesetzt hat (letzteres eine Anspielung auf Ps. 110:1, ein weiterer für das Neue Testament zentraler Bibelvers).[88] Dem Verfasser des Hebräerbriefs, vermutlich ein Judenchrist, geht es vor allem darum, diesen Jesus von den Engeln abzuheben. Offenbar argumentiert er gegen die im Judentum verbreitete Auffassung von einem höchsten Engel, der von Gott als eine Art Vizekönig inthronisiert und mit allen Vollmachten

---

85 Siehe oben S. 12.

86 Hans-Joachim Kraus: *Psalmen*. 1. Teilband: *Psalmen 1–63*. Neukirchen–Vluyn ⁴1972, S. 18; Hermann Gunkel: *Die Psalmen*. Göttingen 1926, S. 7.

87 Apg. 13:33; Hebr. 1:5; Hebr. 5:5.

88 Hebr. 1:1–3.

ausgestattet wurde:[89] Jesus, so der Hebräerbrief, ist sehr viel erhabener als ein noch so herausgehobener Engel, »denn zu welchem Engel hat er jemals gesagt: ›Mein Sohn bist du, heute habe ich dich gezeugt‹ (Ps. 2:7), und weiter: ›Ich will für ihn Vater sein, und er wird für mich Sohn sein‹ (2 Sam. 7:14).«[90] Hier ist zweifellos eine Sohnschaft angesprochen, die weit über die symbolische Sohnschaft der Hebräischen Bibel hinausgeht.

Die ersten Wunder, die Jeschu vor seinen neugewonnenen Schülern wirkt, sind die auch aus dem Neuen Testament bekannten Heilungen eines Gelähmten und eines Aussätzigen.[91] Die Rabbinen, denen das Treiben Jeschus schließlich zu bunt wird, lassen ihn verhaften und zu Königin Helena bringen, die angeblich damals über Israel regierte (ein weiterer Anachronismus).[92] Vor Helena kommt es zu einem exegetischen Streitgespräch zwischen Jeschu und den Rabbinen, das an mittelalterliche Anthologien jüdischer Polemik gegen das Christentum und dann die berüchtigten mittelalterlichen Disputationen zwischen Christen und Juden erinnert:

Sie [die Rabbinen] sagten zu ihr [Helena]: »Dieser Mann übt Zauberei aus, und er führt die (ganze) Welt

---

89 Dazu Peter Schäfer: *Zwei Götter im Himmel. Gottesvorstellungen in der jüdischen Antike.* München 2017, S. 109 ff.

90 Hebr. 1:5.

91 Mt. 8:1–13; Mk. 1:40–2:12; Lk. 5:12–26.

92 Möglicherweise eine Verschmelzung von drei verschiedenen historischen Helenas: Helena, Königin des Nord-Mesopotamischen Reiches von Adiabene und Gemahlin von Monobaz I. (erste Hälfte des 1. Jahrhunderts n. Chr.); Helena Augusta, die 330 n. Chr. gestorbene Mutter Kaiser Konstantins; Helena, die Gattin des Häretikers Simon Magus (1. Jahrhundert n. Chr.); dazu Galit Hasan-Rokem: *Polymorphic Helena. »Toledot Yeshu« as a Palimpsest of Religious Narratives and Identities,* in: Schäfer/Meerson/Deutsch (Hg.): *Toledot Yeshu (»The Life Story of Jesus«) Revisited,* S. 247–282.

in die Irre!« Jeschu antwortete (und sagte zu) ihr:
»Bereits vor langer Zeit prophezeiten die Propheten
über mich: ›Ein Schößling wird aus dem Stamm Isais
hervorgehen‹ (Jes. 11:1) – und das bin ich! Über sie [die
Rabbinen] aber sagt die Schrift: ›Wohl dem Mann, der
nicht dem Rat der Frevler folgt‹ (Ps. 1:1).« Sie [die
Königin] sprach zu ihnen [den Rabbinen]: »Steht in
eurer Torah etwas von dem, was er sagt?« Sie antwor-
teten: »[Ja], es steht tatsächlich in unserer Torah, aber es
bezieht sich nicht auf ihn, denn es steht (auch) geschrieben: ›[Ich, der Herr, werde] diesen (falschen) Propheten [verführen]‹ (Ez. 14:9), ›du aber sollst das Böse aus
deiner Mitte wegschaffen‹ (Deut. 13:6). Der Messias,
auf den wir warten, der wirkt (andere) Zeichen. Von
ihm steht geschrieben: ›Er wird die Erde mit dem Stab
seines Mundes schlagen‹ (Jes. 11:4), und dieser Bastard
hat diese Zeichen nicht!« Da sagte Jeschu zu ihr:
»Meine Herrin, ich bin es, denn ich mache die Toten
lebendig!« Sie sandte verläßliche Männer aus (und)
schickte (Jeschu) mit ihnen. Er sprach die Buchstaben
(des Gottesnamens) aus und machte den Toten lebendig. Zu jener Stunde erschrak die Königin, sagte: »Das
ist ein großes Zeichen!« und wies die Weisen zurecht.[93]

Die Rabbinen müssen zugeben, daß der von Jeschu
zitierte Bibelvers Jes. 11:1 auf den davidischen Messias ver-
weist und auch von ihnen immer so verstanden wurde (Isai
= Jesse war der Vater König Davids), kontern aber mit dem
klassischen Argument, daß Jeschu eben dieser Messias nicht

---

93 Text in Meerson/Schäfer: *Toledot Yeshu*, Bd. 2, S. 86; Übersetzung in ibid., Bd. 1,
S. 171 f.; Krauss: *Leben Jesu*, S. 54.

ist: Jeschu ist ein falscher Messias, dessen angebliche Wunder nicht von Gott legitimiert, sondern schlicht Zauberei sind – der richtige Messias wirkt Wunder, ein falscher Messias zaubert. Der Messias der Rabbinen braucht solchen Hokuspokus nicht, sondern wirkt nur mit dem »Stab«, d. h. dem Wort seines Mundes (die Fortsetzung des Jesaja-Verses lautet: »und tötet den Frevler mit dem Hauch seiner Lippen«). Doch Jeschu belehrt sie und die Königin gleich eines Besseren, denn es ist genau das Wort seines Mundes, nämlich der von ihm ausgesprochene Gottesname, der den Toten lebendig macht – ganz abgesehen davon, daß auch der Jesus des Neuen Testaments zwar nicht durch den Gottesnamen, aber doch allein durch sein Wort die Toten wieder lebendig macht.[94]

Trotz des Protestes der Rabbinen läßt Helena Jeschu gehen. Dieser begibt sich nach Galiläa, präsentiert sich auch dort als der in der Bibel verheißene Messias und überzeugt nun große Volksmassen mit seinen Wundern:

> Die Leute von Galiläa machten Vögel aus Lehm; er sprach die Buchstaben des unaussprechlichen Gottes-namens aus, und die Vögel[95] flogen auf. Sofort fielen sie vor ihm nieder, und er sagte zu ihnen: »Bringt mir einen Mühlstein!« Sie wälzten ihn zum Meeresufer, er sprach die Buchstaben aus und stellte ihn auf die Oberfläche des Meeres. Er saß auf ihm wie jemand, der in einem Boot sitzt, ging und schwamm auf dem Wasser.

94 Lk. 7:14 (der Sohn der Witwe) und Joh. 11:43 (Lazarus). Bei der Auferweckung des Sohnes der Witwe reagiert das Volk mit der Erkenntnis, daß Jesus ein großer Prophet ist (Lk. 7:16), und die Erweckung des Lazarus dient ausdrücklich als Nachweis seiner messianischen Sendung (Joh. 11:27) und verschafft Jesus viele neue Anhänger (Joh. 11:45) sowie die erbitterte Gegnerschaft der Pharisäer (Joh. 11:46 ff.).

95 Lies »Vögel« statt »Buchstaben«.

Jene Abgesandten[96] sahen es, wunderten sich, und Jeschu sagte zu den Reitern: »Geht zu eurer Herrin und erzählt ihr, was ihr gesehen habt!« Da erhob ihn der Wind vom Wasser und setzte ihn aufs Trockene. Die Reiter aber gingen und erzählten der Königin all diese Dinge.[97]

Diese Wunder finden sich nicht im Neuen Testament, es sei denn, man interpretiert die bizarre Geschichte des schwimmenden Mühlsteins als eine Weiterentwicklung des auf dem Wasser des Sees Genesareth wandelnden Jesus.[98]

Die Königin ist mehr denn je beeindruckt, und die Rabbinen sind alarmiert. Sie schicken einen der ihren in den Tempel, um sich dort ebenfalls des Gottesnamens zu bemächtigen. Dieser Rabbi heißt Jehudah Iskariota, eine unmißverständliche Anspielung an Judas Iskariot. Jeschu wird wieder zur Königin gebracht und vor Gericht gestellt. Nach einem Streitgespräch mit den Rabbinen um die Auslegung von Bibelversen kommt es zu dem auch aus der aramäischen Fassung bekannten Luftkampf.[99] Jeschu erhebt sich mit Hilfe des Gottesnamens in die Lüfte, sogleich gefolgt von Jehudah Iskariota, der nun ebenfalls im Besitze des Gottesnamens ist. Anders als in der aramäischen Fassung wird jetzt aber sehr viel drastischer geschildert, wie Jehudah Jeschu zu Fall bringt: Da Gottesname gegen Gottesname steht, kann keiner von beiden gewinnen, bis Jehuda schließlich in der Luft auf Jeschu uriniert und ihn

96 Der Königin Helena.

97 Text in Meerson/Schäfer: *Toledot Yeshu*, Bd. 2, S. 87; Übersetzung in ibid., Bd. 1, S. 172 f.; Krauss: *Leben Jesu*, S. 54 f.

98 Mt. 14:22–33; Mk. 6:45–51; Joh. 6:16–21.

99 Siehe oben, S. 30.

dadurch verunreinigt;[100] in einer anderen noch drastischeren Interpretation mißbraucht er ihn in einem homosexuellen Akt. Damit ist der Bann des Gottesnamens gebrochen, und beide stürzen zu Boden:

> (V:21) Und alle wunderten sich, daß sie [Jeschu und Juda] zwischen Himmel und Erde flogen, so lange, bis Juda den *rascha* [Bösewicht] Jeschu umfaßte und, indem er *schem* [den Gottesnamen] dachte, wollte er, daß sie beide zur Erde fielen. (22) Und der *rascha* [Bösewicht Jeschu] dachte (ebenfalls) *haschem* [den Gottesnamen], damit sie nicht fallen sollten, und so konnte weder dieser jenen besiegen noch umgekehrt, weil *haschem* mit ihnen beiden war. (23) Als aber Juda das sah, daß er nicht siegen konnte, *kilkel masaf ymo* [*qilqel ma'asaw immo*], verdarb er sein Werk an ihm,[101] das heißt, er kohabitierte mit ihm, *ve tyeb osos bo miskaf sochod* [*we-ti'ev oto be-mischkav zekhur*], das heißt, er entehrte ihn durch den Beischlaf eines Mannes, bis zur Emission des Samens, und so fielen sie beide beschmutzt zur Erde.[102]

Jeschu wird gefangengenommen und gegeißelt, entkommt aber noch einmal und wird von seinen Anhängern

---

100 So in der Handschrift Straßburg.

101 Die lateinische Übersetzung zitiert den hebräischen Text in Umschrift (teilweise korrupt; Korrektur in eckiger Klammer) und übersetzt ihn anschließend.

102 Dies ist die Fassung der *Falsitates*, in: *Das jüdische Leben Jesu. Toldot Jeschu*, S. 56 f. Zur Fassung der Handschrift Straßburg siehe Meerson/Schäfer: *Toledot Yeshu*, Bd. 2, S. 88 f. (Text); ibid., Bd. 1, S. 174 (Übersetzung); Krauss: *Leben Jesu*, S. 55. Sowohl die *Falsitates* als auch die Handschrift Straßburg fügen am Ende den redaktionellen Hinweis an, daß die Christen wegen dieser schmachvollen Tat des Judas in jener besonderen Nacht weinen. Während die *Falsitates* diese Nacht als Pessach identifizieren, läßt die Straßburger Handschrift offen, um welche Nacht es sich handelt. Sehr viel wahrscheinlicher als Pessach ist Weihnachten, und zwar aufgrund einer impliziten Volksetymologie, die unter »Weihnacht« nicht die weihevolle Nacht versteht, sondern die Nacht des Weinens.

nach Antiochia[103] gebracht. Zum Pessachfest kehrt er nach Jerusalem zurück, wird dort von einem seiner Anhänger verraten (wieder eine Reminiszenz an Judas Iskariot) und erneut gefangengenommen. Diesmal soll er endgültig hingerichtet, d. h. an einem Baum aufgehängt und anschließend gesteinigt werden. Aber dies sollte sich als nicht so einfach erweisen, wie seine Gegner gedacht hatten, und hier kommt nun der Kohlstrunk oder besser Kohlbaum wieder ins Spiel. Die Autoren unserer aschkenazischen Fassung kennen den Kohl aus ihrer Vorlage, verstehen ihn aber nicht mehr und versuchen nun, ihn auf ihre Weise zu erklären: Vorausahnend, daß er an einem Baum aufgehängt werden würde, hatte Jeschu mit Hilfe des Gottesnamens alle Bäume mit dem Zauber belegt, daß sie sofort unter seinem Gewicht zusammenbrechen und ihn nicht tragen würden. Und so geschah es auch. Er hatte aber vergessen, daß auch der Kohl eigentlich ein Baum ist und ihn deswegen nicht in seinen Zauber einbezogen.

> Solange er lebte, wußte er von dem Brauch Israels, daß man ihn hängen würde. Er sah seinen Tod und seine Hinrichtung voraus, nämlich daß sie ihn am Ende an einem Baum aufhängen würden. So sorgte er mit Hilfe des unaussprechlichen Gottesnamens dafür, daß kein Baum ihn aufnehmen würde. Aber über den Kohlstrunk sprach er den unaussprechlichen Gottesnamen nicht aus, weil er kein Baum ist, sondern ein Kraut.[104]

---

103 Eine der ersten heidenchristlichen Gemeinden und Stützpunkt der ersten Missionsreise des Paulus (Apg. 13 ff.).

104 Text in Meerson/Schäfer: *Toledot Yeshu*, Bd. 2, S. 91; Übersetzung in ibid., Bd. 1, S. 177; Krauss: *Leben Jesu*, S. 58. Interessanterweise kennt auch der *Nizzachon Vetus* die Überlieferung, daß Jesus an einem Kohlstrunk aufgehängt wurde und hat diese vermutlich aus *Toledot Jeschu* übernommen; siehe Berger: *The Jewish-Christian Debate in the High Middle Ages*, Nr. 202, S. 141 (Text) und S. 202 (Übersetzung).

Und in der Tat – der Kohlbaum hielt, und Jeschu kam endlich zu Tode. Er wird in einem Garten begraben, über den der Gärtner dann den schon aus der aramäischen Fassung bekannten Wasserkanal lenkt. Als seine Anhänger das Grab nicht finden können und triumphierend seine Auferstehung verkünden, holt der Gärtner ihn aus seinem Grab und schleift den Leichnam an Stricken vor die Königin:

> Sobald er [der Gärtner] seine [des Rabbi] Worte hörte, nämlich daß ganz Israel Trauernden gleiche und daß die Bösewichte sagten, er ist in den Himmel aufgefahren, da sagte der Eigentümer des Gartens: »Heute wird Erleichterung und Freude in Israel herrschen, denn ich habe ihn gestohlen, auf daß die Abtrünnigen ihn nicht nehmen können und so Gelegenheit haben, in alle Ewigkeit ihren Mund aufzureißen!«[105] Sogleich gingen sie nach Jerusalem und verkündeten ihnen die gute Botschaft. Ganz Israel ging dem Eigentümer des Gartens nach. Sie banden Stricke um seine [Jeschus] Füße und schleiften ihn durch die Straßen Jerusalems, bis sie ihn zur Königin brachten und sagten: »Das ist der, der in den Himmel aufgefahren ist!« Sie gingen in Freuden von ihr weg, und [die Königin] verspottete die Abtrünnigen und pries die Weisen.[106]

Damit ist die Erzählung in unserer aschkenazischen Version (und allen folgenden Versionen) aber noch nicht zu Ende. Es wird ein ganz neuer Teil angehängt, der von der Forschung als die »Apostelgeschichte« der *Toledot Jeschu*

---

105 Seine Auferstehung zu verkünden.

106 Text in Meerson/Schäfer: *Toledot Yeshu*, Bd. 2, S. 92 f.; Übersetzung in ibid., Bd. 1, S. 178 f.; Krauss: *Leben Jesu*, S. 59.

bezeichnet wird. Hier geht es um den mühsamen Prozeß der endgültigen Trennung von Juden und Christen, der in den verschiedenen Versionen immer komplizierter wird. Ich beschränke mich auf die wichtigsten Elemente: Zunächst treten nun die Apostel auf und verkünden die Botschaft Jesu. Sie betrachten sich aber immer noch als Teil des Volkes Israel und versuchen, die Juden von ihrer neuen Botschaft zu überzeugen. Unter der Führung von Paulus ändern sie den Sabbat in Sonntag und verwandeln alle jüdischen Feste in neue christliche Feiertage. Aber dieser erste Versuch der Trennung scheitert; eine einflußreiche andere Gruppe versucht, die Neuchristen wieder in das Judentum zurückzuholen.[107] Die endgültige Trennung gelingt ausgerechnet Schim'on Kepha (»Simon der Fels«), also keinem Geringeren als Simon Petrus, der als jüdischer »undercover agent« die Christen unterwandert. Dies ist nun die letzte und bizarrste Volte, die unser jüdisches Leben Jesu schlägt:

Schim'on Kepha-Petrus ist der Vorsitzende des Sanhedrin, des Hohen Rates der Juden. Die Christen finden Gefallen an ihm und verlangen, daß er zum Christentum konvertiert. Andernfalls würden sie ihn töten und die Juden verfolgen. Petrus stimmt unter der Bedingung zu, daß sie die Juden in Ruhe leben und weiterhin ihren Tempeldienst verrichten lassen.[108] Darauf läßt Petrus sich von den Christen einen Turm bauen, in dessen Spitze er den Rest seines Lebens

---

107 Unter der Führung eines gewissen Nestorius, der die Beschneidung wieder einführt und Jesus zu einem Propheten degradiert, der nicht als Gott verehrt werden soll. Dies ist ein weiterer Anachronismus, denn der historische Nestorius, der Gründer der Nestorianer und Vertreter der Zwei-Naturen-Lehre Jesu, der auf dem Konzil von Ephesus (431 n. Chr.) verurteilt wurde, ergibt hier überhaupt keinen Sinn. Zu den verschlungenen Wegen, wie er in den Text der *Toledot Jeschu* geraten ist, siehe Meerson/Schäfer: *Toledot Jeschu*, Bd. 1, S. 111 ff.

108 Ein weiterer Anachronismus, denn der Tempel ist längst zerstört.

nur mit Brot und Wasser verbringen will (eine deutliche Reminiszenz an Symeon Stylites, den Säulenheiligen).[109] Seinen jüdischen Glaubensgenossen gegenüber begründet er dies damit, daß er nicht durch die Christen unrein werden will; den Christen gegenüber führt er an, daß er ungestört den Tod Jesu betrauern möchte:

> Er stellte ihnen die Bedingung, daß sie ihm einen hohen Turm bauen sollten, in den er hineingehen würde. Er würde kein Fleisch und nichts anderes essen, außer Brot und Wasser, indem er an einem Strick einen Korb herunterlassen würde, auf daß sie ihm nur Brot und Wasser gäben und er bis zum Tage seines Todes in dem Turm bliebe. All dies tat er um des Himmels [Gottes] willen, daß er seine Seele nicht verunreinige und er sich nicht an ihnen beschmutze und daß er sich mit ihnen nicht gemein mache. Den Christen gegenüber aber sprach er in ihrem Sinne, als ob er über Jesus trauern würde und (deswegen) kein Fleisch oder etwas anderes essen wolle, sondern nur Brot und Wasser. Sie bauten ihm einen Turm, und er wohnte darin, verunreinigte sich nicht durch Essen und warf sich nicht vor dem Kreuz[110] nieder.[111]

So bleibt er bis zu seinem Tod in diesem Turm und vertreibt sich die Zeit damit, heimlich Gebete der synagogalen Liturgie zu verfassen, die er an die Juden Israels und Babyloniens schmuggelt. Damit geht ausgerechnet Petrus

---

109 Dazu Meerson/Schäfer: *Toledot Jeschu*, Bd. 1, S. 114 f.

110 Dem gekreuzigten Jesus.

111 Text in Meerson/Schäfer: *Toledot Yeshu*, Bd. 2, S. 95; Übersetzung in ibid., Bd. 1, S. 183; Krauss: *Leben Jesu*, S. 63.

als größter synagogaler Dichter des Judentums in die Geschichte ein – und gleichzeitig als der Held, der das Überleben des Judentums trotz des übermächtig werdenden Christentums sichert. Diese letzte Pointe der *Toledot Jeschu* ist unübersehbar: Petrus, der Grundstein der Kirche und erste Bischof von Rom, ist und bleibt in Wirklichkeit ein Jude.

Weitere Verbreitung

Mit der aschkenazischen Rezension habe ich nur die älteste »komplette« Version der *Toledot Jeschu* vorgestellt, die in zahlreichen hebräischen Handschriften bezeugt, von christlichen Autoren rezipiert und – zunächst in lateinischer und dann in deutscher Übersetzung – weiteren Kreisen bekannt gemacht wurde. Meilensteine dieser christlichen Rezeption sind Martin Luthers 1543 veröffentlichte Hetzschrift *Vom Schem Hamphoras*[112] *und vom Geschlecht Christi*, Johann Christoph Wagenseils *Tela ignea satanae. Hoc est: arcani et horribiles Judaeorum adversus Christum Dominum et Christianum religionem libri* (»Satans feurige Geschosse, d. i.: die geheimnisvollen und schrecklichen Bücher gegen den Herrn Christus und die christliche Religion«) von 1681, in denen die *Toledot Jeschu* eine zentrale Rolle spielen,[113] und die von Johannes Jakob Huldreich 1705 herausgegebene, sehr eigenwillige Edition der *Toledot: Sefer Tole-*

---

112 Luther verwendet hier den hebräischen Begriff für den unaussprechlichen Gottesnamen, das Tetragramm.

113 Wagenseils Version geht sehr wahrscheinlich auf die elaborierteste und am stärksten dramatisch ausgestaltete Fassung der *Toledot Jeschu* zurück, die von der Forschung (irreführend) als »slawisch« bezeichnet wird und deren erhaltene Handschriften alle sehr spät sind (18./19. Jahrhundert).

dot Jeschua ha-Notzri / Historia Jeschuae Nazareni;[114] in keiner Bibliothek gelehrter christlicher Hebraisten und Orientalisten sollten die *Toledot Jeschu* in Zukunft fehlen. Im Zeitalter der Aufklärung hielt Voltaire sie für älter und zuverlässiger als das Neue Testament,[115] während Moses Mendelssohn sie historisch gewiß zutreffender als »Fehlgeburt aus der Zeit der Legenden« charakterisierte.[116]

Trotz der vielen Handschriften der *Toledot* in Aramäisch, Hebräisch, Jiddisch, Jüdisch-Arabisch, Jüdisch-Persisch und Ladino, die im Laufe der Jahrhunderte immer zahlreicher wurden, war ihre Rezeption in einer breiteren jüdischen Öffentlichkeit zunächst begrenzt. Offizielle Kreise bemühten sich eher, sie geheim zu halten, denn man fürchtete die Folgen in einer christlich dominierten Umwelt. Dazu hatte man auch allen Grund: Wir wissen, daß der Besitz der *Toledot Jeschu* in Anklageschriften der Inquisition auftaucht,[117] und Wagenseils *Tela ignea satanae* werden noch 1713 im Prozeß gegen den Rabbiner Hirsch Fränkel, den angeblichen Hexenmeister von Schwabach, als Beleg dafür zitiert, daß die Juden das Tetragramm für ihre Zaubereien mißbrauchen.[118] Dies änderte sich im 19. Jahr-

---

114 Huldreichs Fassung weist eine strukturelle Ähnlichkeit mit den »slawischen« Handschriften und Wagenseil auf, aber auch große Unterschiede. Ihr Alter wird kontrovers diskutiert (vermutlich 16. oder 17. Jahrhundert).

115 Daniel Barbu: *Voltaire and the Toledot Yeshu*, in: Claire Clivas et al. (Hg.): *Infancy Gospels. Stories and Identities*. Tübingen 2012, S. 617–627, hier S. 623.

116 Brief von Moses Mendelssohn an Johann Caspar Lavater, 15. Januar 1771, in: Moses Mendelssohn: *Gesammelte Schriften*. Bd. 7: *Schriften zum Judentum*. Hg. von Fritz Bamberger et al. Berlin 1930, S. 362.

117 Paola Tartakoff: *The »Toledot Yeshu« and Jewish-Christian Conflict in the Medieval Crown of Aragon*, in: Schäfer/Meerson/Deutsch (Hg.): *Toledot Yeshu (»The Life Story of Jesus«) Revisited*, S. 297–309.

118 Isak Nethanël Gath: *Der Hexenmeister von Schwabach. Der Prozess gegen den Ansbachischen Landesrabbiner Hirsch Fränkel.* Ansbach 2011, S. 151 f.

hundert. Wahrscheinlich 1824 veröffentlichte ein unbekannter jüdischer Drucker in Breslau die bis dahin ausführlichste Fassung der *Toledot Jeschu* unter dem Titel *Tam u-Muʿad* (»Zahm und bezeugt«),[119] die häufig nachgedruckt wurde.[120] Günter Schlichting, der ein Faksimile dieses Drucks zusammen mit einer deutschen Übersetzung und einer ausführlichen Einleitung vorlegte, vermutet, daß die dem Druck wahrscheinlich zugrundeliegende Handschrift[121] »für Leser bestimmt war, die führende Ämter in den Gemeinde innehatten, torahtreu bleiben und der Christianisierung wie der Assimilation widerstehen wollten«, während der Druck sich »an breitere Leserschichten von geringerer Bildung in polnisch-jüdischen Gemeinden« richtete.[122] Erklärtes Ziel der neuzeitlichen Verbreitung der *Toledot Jeschu* war die Stärkung der jüdischen Identität sowie insbesondere auch die Abwehr der christlichen Judenmission.[123]

Die moderne wissenschaftliche Erforschung der *Toledot Jeschu* wurde von dem angesehenen jüdischen Gelehr-

---

119 Ursprünglich ein halakhischer Terminus, der sich auf den zahmen und den bösartigen Ochsen bezieht: Wenn ein bösartiger Ochse jemanden angreift, wird der Besitzer sehr viel strenger bestraft als im Falle eines zahmen Ochsen, weil der bösartige Ochse als solcher bekannt (*muʿad*) ist und der Besitzer entsprechend gewarnt sein sollte. Jesus wäre danach nicht der zahme, sondern der bösartige Ochse, vor dem gewarnt werden muß. Gleichzeitig spielt der Titel mit der Bedeutung »ganz, vollendet« von *tam* und würde danach bedeuten, daß der Traktat »vollständig« und als zuverlässig bezeugt ist.

120 Meerson/Schäfer: *Toledot Yeshu*, Bd. 1, S. 18. Die Rekonstruktion der Geschichte dieses Druckes ist kompliziert; siehe dazu ibid., Bd. 1, S. 25; Günter Schlichting: *Ein jüdisches Leben Jesu. Die verschollene Toledot Jeschu-Fassung Tam ūmūʿād*. Einleitung, Text, Übersetzung, Kommentar, Motivsynopse, Bibliographie. Tübingen 1982, S. XV und 7 f.

121 Ms. New York, Jewish Theological Seminary of America, 2236.1.

122 Schlichting: *Ein jüdisches Leben Jesu*, S. 24.

123 Ibid.

ten Samuel Krauss eröffnet, der 1902 mit seinem Werk *Das Leben Jesu nach jüdischen Quellen* die erste umfassende Edition, Übersetzung und gründliche literarisch-historische Analyse der bis dahin bekannten Handschriften vorlegte.[124] Diese Edition, bis heute der Klassiker der *Toledot-Jeschu*-Forschung, wurde breit rezipiert, aber auch angefeindet. Der christliche Theologe William Horbury promovierte 1970 mit einer Arbeit über die *Toledot*, die, obwohl bis heute nicht veröffentlicht, einen beträchtlichen Einfluß ausübte.[125] 1985 legte dann Riccardo Di Segni in einer Reihe von Aufsätzen und mit der Monographie *Il vangelo del ghetto* die bahnbrechende moderne Arbeit zum Thema vor.[126] Riccardo Di Segni ist kein Geringerer als der heutige Oberrabbiner von Rom. Die Rezeption seiner Arbeiten war, trotz ihrer unbestrittenen wissenschaftlichen Bedeutung, eher bescheiden; die Monographie ist längst vergriffen und nur schwer aufzutreiben. Wie Dr. Di Segni mir bei einem Treffen in Rom sagte, wurde der größte Teil der Auflage unmittelbar nach ihrem Erscheinen aufgekauft und damit aus dem Verkehr gezogen. Wenn dies zutrifft, läßt sich trefflich darüber spekulieren, wer wohl ein Interesse daran gehabt haben könnte, die Verbreitung des Buches zu unterdrücken.

2014 haben dann mein Princetoner Kollege Michael Meerson und ich es gewagt, alle aramäischen und hebräischen Versionen der *Toledot Jeschu* auf der Basis aller

---

124 Samuel Krauss: *Das Leben Jesu nach jüdischen Quellen*. Berlin 1902 (Nachdruck Hildesheim 1977/2006).

125 William Horbury: *A Critical Examination of the Toledoth Yeshu*. Diss. Cambridge 1970.

126 Riccardo Di Segni: *Il vangelo del ghetto*. Rom 1985.

bekannten Handschriften zu edieren und zu übersetzen. Neu an dieser Edition ist nicht nur die erheblich erweiterte Textbasis und die darauf aufbauende Analyse, sondern vor allem auch die Tatsache, daß jeder Käufer des Buches Zugang zu unserer Online Datenbank erhält, die sehr viel umfangreicher ist als die gedruckte Edition. Die Datenbank erlaubt es dem Benutzer, die Handschriften detailliert miteinander zu vergleichen und mit einer Suchmaschine jeden beliebigen Begriff in allen Handschriften aufzufinden und den Text damit für eine Vielzahl von Zwecken nutzbar zu machen.

Ich spreche bewußt von dem Wagnis unserer Edition, denn ich weiß sehr wohl, daß die *Toledot Jeschu* für antisemitische Angriffe verwendet werden können (und werden) und daß mir als christlichem Mitherausgeber unterstellt werden kann, daß ich genau diesen Zweck damit verfolge. Entsprechende Reaktionen blieben auch nicht aus, vor allem in den einschlägigen Blogs im Internet, etwa nach dem Motto: Endlich sagt ein so angesehener Fachmann wie der Princetoner Professor für Jüdische Studien die Wahrheit über die Juden! Ich möchte aber darauf bestehen, daß wir uns unsere Forschungsgebiete nicht davon bestimmen lassen, wie diese in gewissen (nicht nur inkompetenten, sondern durchaus auch böswilligen) Kreisen rezipiert werden könnten. Die *Toledot Jeschu* sind ein einzigartiges kulturhistorisches Dokument, im weiteren Sinne Teil der polemischen jüdischen Literatur gegen das Christentum, im engeren Sinne das singuläre und in dieser Form beispiellose Ergebnis einer parodistischen jüdischen Gegenerzählung zu der christlichen Verkündigung vom Leben und Wirken Jesu, einer Gegenerzählung, die im Laufe ihres langen Entstehungsprozesses immer mehr die Form eines Gegenevan-

geliums annahm. Sie entstand unter bestimmten historischen Bedingungen in Babylonien und wurde im Zuge
einer Ost-West-Bewegung der jüdischen Literatur nach
Europa transportiert, wo sie sich in unterschiedlichen
historischen Konstellationen immer wieder neu erfand.
Aufgabe der zukünftigen Forschung wird die genauere Analyse dieser fortwährenden Neuschöpfungen der *Toledot
Jeschu* in ihrem jeweiligen historischen Umfeld sein.

Zusammenfassende Übersicht

1. Christliche Polemik gegen das Judentum beginnt als
innerjüdische Kritik in einem Stadium, in dem Judentum
und Christentum noch nicht eindeutig voneinander ge-
trennt waren. Die entscheidende Wende von innerjüdischer
Kritik zu christlicher Kritik am Judentum markieren das
Johannesevangelium und die Johannesapokalypse.

2. Die ersten Spuren jüdischer Polemik gegen Jesus
und das Christentum finden sich in christlichen und paga-
nen Quellen. Eine wichtige Rolle spielt hier die Entlarvung
der Auferstehung als Betrug der Jünger Jesu und die illegitime Herkunft Jesu (Jesus ist nicht der Sohn einer Jungfrau,
sondern eines römischen Soldaten mit Namen Panthera).

3. Der erste Kristallisationspunkt einer genuin jüdischen Polemik gegen Jesus ist der babylonische Talmud. Es
handelt sich hier noch nicht um eine zusammenhängende
Erzählung, sondern um verstreute Motive, die sich allerdings auf die Abstammung und die Hinrichtung Jesu kon-
zentrieren. Der Talmud reklamiert die jüdische Deutungs-
hoheit gegenüber dem Neuen Testament und entwirft in
der Gesamtschau erste Ansätze zu einer jüdischen Gegen-

erzählung gegen die neutestamentliche Botschaft: Jesus war ein Bastard und Gotteslästerer, der nach jüdischem Recht und unter skrupulöser Beachtung der entsprechenden gesetzlichen Vorschriften hingerichtet wurde.

4. Die jüdische Lebensgeschichte Jesu als Gegenentwurf zur christlichen Botschaft des Neuen Testaments entsteht nicht an einem einzigen historisch genau zu definierenden Punkt in Zeit und Raum, sondern entwickelt sich in mehreren Stufen an verschiedenen Orten und über einen langen Zeitraum. Die zahlreichen Versionen dieser Gegenerzählung werden unter dem (späteren) Titel *Toledot Jeschu* (»Lebensgeschichte Jesu«) oder anderen Titeln zusammengefaßt. Der handschriftlich dokumentierte Verlauf der *Toledot Jeschu*-Kompositionen reicht vom 9./10. Jahrhundert n. Chr. bis in die Neuzeit.

5. Der erste Kristallisationspunkt eines Narrativs *Toledot Jeschu* läßt sich mit großer Wahrscheinlichkeit im 6. Jahrhundert in Babylonien nachweisen, d. h. die erste greifbare zusammenhängende Darstellung des jüdischen Lebens Jesu entstand ungefähr zur selben Zeit und in demselben kulturellen Milieu wie die versprengten Elemente des babylonischen Talmuds. Wie im Talmud liegt auch hier der Schwerpunkt eindeutig auf dem Nachweis der illegitimen Herkunft Jesu und dessen schmachvoller Hinrichtung. Die Erzählung setzt mit der öffentlichen Wirksamkeit Jesu und seines angeblichen Lehrers Johannes ein, die sich beide als Söhne Gottes ausgeben. Ein Bericht über die Umstände seiner Geburt und über seine Jugend fehlt (noch).

6. Diese erste nachweisbare Fassung der *Toledot Jeschu* ist in aramäischer Sprache überliefert und durch Fragmente aus der Kairoer Geniza bezeugt (orientalische Version). Sie ist stark magisch geprägt und parodiert die Jungfrauen-

geburt, die magische Verwendung des Gottesnamens, den Kreuzestod und die Auferstehung Jesu:

– Jesus und Johannes sind Söhne Gottes.

– Jesus zaubert eine Schwangerschaft (ohne die Mitwirkung eines Mannes) in den Leib der jungfräulichen Tochter des römischen Kaisers, doch das Ergebnis ist kein Kind, sondern ein Stein. Medizingeschichtlich haben wir hier den ersten jüdischen Beleg für ein »Steinkind« (*lithopedion*) und einen Kaiserschnitt.

– Jesus und sein »rechtgläubiger« jüdischer Konkurrent liefern sich einen Wettkampf, bei dem sie sich mit Hilfe des Gottesnamens in die Luft erheben und versuchen, sich gegenseitig zu Fall zu bringen. Jesus verliert diesen Wettkampf und wird gefangengenommen.

– Jesus wird an einen Kohlstrunk gehängt und gesteinigt. Dies ist möglicherweise eine Parodie auf das neutestamentliche Gleichnis vom kleinen Senfkorn, das zu einem mächtigen Baum wird und die Botschaft des Himmelreichs symbolisiert.

– Der tote Jesus wird in einem Wasserkanal versteckt, um die christliche Botschaft der Auferstehung zu kontern. Als die Jünger mit dem Verweis auf das leere Grab Jesu Auferstehung verkünden, wird seine Leiche als Beweis der christlichen Irrlehre zu Pilatus bzw. zur Königin Helena gebracht.

7. Insofern diese früheste Fassung der Lebensgeschichte Jesu sich auf den Anfang und das Ende seiner öffentlichen Wirksamkeit konzentriert, kann noch nicht von einem »Gegenevangelium« im vollen Sinne des Wortes gesprochen werden. Allerdings sind mit der Parodie der Jungfrauengeburt, dem gemeinsamen Auftritt mit Johannes, der magischen Komponente seiner Sendung und dem schmäh-

lichen Tod wesentliche Kernpunkte der Evangelien angesprochen.

8. Wie große Teile der jüdischen Literatur wandern
auch die *Toledot Jeschu* auf verschlungenen Wegen vom
Orient in den Westen. Der erste Nachweis für einen Kristallisationspunkt im lateinischen Westen sind Zitate bei
Agobard, dem Bischof von Lyon, und seinem Nachfolger
Amulo im 9. Jahrhundert. Sie entstammen offensichtlich
einer Fassung, die der orientalischen Version (6.) nahestand.

9. Mit Agobard und Amulo beginnt die sich immer
weiter auffächernde Rezeption der *Toledot Jeschu* in der
christlichen Literatur. Zitate in jüdischen Quellen sind sel-
ten (*Even Bochan*). Markante Fixpunkte des christlichen
Überlieferungsstranges sind die ausführlichen Zitate in der
Schrift *Pugio fidei* (»Dolch des Glaubens«) des Dominika-
ners Raymundus Martinus (1220–1285) und die lateinische
Übersetzung der *Toledot* in den *Falsitates Judeorum*
(»Lügen der Juden«) des Wiener Theologieprofessors
Thomas Ebendorfer (1388–1464). Sowohl die Zitate bei
Raymundus Martinus als auch die lateinische Übersetzung
Ebendorfers gehen auf hebräische Handschriften des asch-
kenazischen Texttyps zurück, des ältesten und bestbezeug-
ten Texttyps der *Toledot Jeschu* im Westen.

10. Die aschkenazische Texttradition beginnt mit einer
ausführlichen Schilderung der Umstände von Jesu Zeugung
und Geburt: Die mit dem angesehenen Gelehrten Jochanan
verlobte Miriam wird gegen ihren Willen während ihrer
Menstruation von dem Schürzenjäger Josef vergewaltigt.
Sie gebiert Jesus, der folglich nicht nur ein *mamzer*
(»Bastard«), sondern auch ein *ben niddah* (»Sohn einer
menstruierenden Frau«) ist. Auch die Jugend Jesu wird jetzt
ausführlich behandelt: Er ist ein begabter, aber frühreifer

Schüler, doch die Rabbinen decken den Makel seiner Herkunft auf. Während Miriam von aller Schuld freigesprochen wird, soll Jesus wegen seines unbotmäßigen Verhaltens verurteilt werden. Er flieht nach Jerusalem, stiehlt den vierbuchstabigen Gottesnamen und wirkt mit dessen Hilfe Wunder. Der Luftkampf mit seinem rabbinischen Gegner (jetzt Jehudah Iskariota = Judas Iskariot) wird sehr viel drastischer geschildert als in den früheren Fassungen: Jesus wird von seinem Gegner verunreinigt, verliert damit die Macht über den Gottesnamen, fällt auf die Erde und wird gefangengenommen. Er entkommt nach Antiochia (weitere Anspielung auf das Neue Testament), wird erneut gefangengenommen und an dem aus der orientalischen Fassung bekannten Kohlbaum aufgehängt – was nur deswegen funktioniert, weil er vergessen hatte, den Kohlstrunk in seine magische Beschwörung der Bäume einzubeziehen. Den Abschluß bildet eine Gegenerzählung zur neutestamentlichen Apostelgeschichte, in der Simon Petrus als jüdischer Geheimagent die christliche Kirche unterwandert und so das Überleben des Judentums sichert.

11. In der erweiterten aschkenazischen Fassung (sowie auch in den anderen späteren Fassungen, die hier nicht diskutiert werden) orientieren die *Toledot Jeschu* sich somit immer stärker am Aufriß und Inhalt der kanonischen Evangelien. Während die orientalische Version sich primär auf die Geburt und den Tod Jesu konzentrierte, werden jetzt zusätzliche Teile der Evangelien kritisch aufgenommen und in ihr Gegenteil verkehrt. Gerade auch der messianische Anspruch Jesu, der in den früheren Fassungen noch relativ verhalten bleibt, nimmt in den jüngeren Fassungen immer mehr zu; je jünger die Fassung der *Toledot Jeschu*, um so ausführlicher wird in messianisch gedeuteten Bibelversen

geschwelgt. Insofern gewinnt auch der Begriff des »Gegen-evangeliums« zunehmend an Schärfe und Gewicht.

12. Die Gattung der *Toledot Jeschu* ist noch nicht hin-reichend untersucht, doch läßt sich schon jetzt sagen, daß die *Toledot* sich maßgeblich von allen anderen bekannten polemischen Schriften gegen das Christentum unterschei-den. Im Unterschied zur klassischen polemischen Literatur, die meist anthologisch ausgerichtet ist und eine thematisch an der Hebräischen Bibel sowie am Neuen Testament ori-entierte Sammlung von Argumenten gegen das Christen-tum bietet, haben wir es hier mit einem durchkomponierten Narrativ zu tun, das in wesentlichen Punkten der aus dem Neuen Testament bekannten Lebensgeschichte Jesu folgt. Die Charakterisierung dieses Narrativs als Polemik greift zu kurz. Genauer handelt es sich um eine Parodie oder Persiflage des Lebens und Wirkens Jesu in den kanonischen Evangelien.

13. Aufgrund der langen Entwicklung des Narrativs *Toledot Jeschu* in zahlreichen und immer weiter angerei-cherten Fassungen kann weder von einer Urfassung noch von einem (einzigen) Autor gesprochen werden. Auch die jüdischen Kreise, in denen der Text verfaßt und verbreitet wurde, sind nicht einheitlich. Ob man die *Toledot* insge-samt als »volkstümlich« und somit als »Volksbuch« be-zeichnen kann, ist mehr als zweifelhaft. Ihre drastische und manchmal auch primitive Sprache hat diese Vermutung nahegelegt, doch ist der Text insgesamt in seiner wohlüber-legten Komposition und Argumentation alles andere als »volkstümlich«. Wahrscheinlich entstanden die *Toledot Jeschu* in gelehrten rabbinischen Kreisen und blieben lange auf die rabbinische Schultradition beschränkt. Erst im Zuge ihrer weiteren Verbreitung (nicht zuletzt durch die Über-

setzung ins Jiddische) und wachsenden Popularität gelang-
ten sie in nichtrabbinische und damit auch »volkstümliche«
Kreise.

14. Der historische Kontext der *Toledot Jeschu* Erzählung veränderte sich im Laufe ihres langen Entwicklungs-
prozesses:

– Das erste Stadium – genauer ein Vorstadium, in dem noch
nicht von einem Narrativ *Toledot Jeschu* gesprochen werden kann – sind die verstreuten Fragmente im babylonischen Talmud. Zeitlich befinden wir uns damit in der Mitte
des ersten Jahrtausends n. Chr., geographisch in Babylonien, d. h. im Zweistromland von Euphrat und Tigris (Meso-
potamien), politisch im Neupersischen Reich der Sassa-
niden. Vorherrschende Religion war der Zoroastrismus.
Juden galten als loyale Untertanen, Christen wurden dagegen zeitweise verfolgt. Diese besondere politische Kon-
stellation ermöglichte – ganz im Unterschied zum christi-
anisierten Palästina – die scharfen Attacken auf das
Christentum.

– Dasselbe gilt für die erste greifbare Fassung des Narrativs
Toledot Jeschu, die orientalische Version der Geniza-Frag-
mente, die ebenfalls in Babylonien ihren Ausgang nahm.

– Die Zitate bei Agobard und Amulo im 9. Jahrhundert
bezeugen die Wanderung der orientalischen Fassung in den
lateinischen Westen. Auch hier befinden wir uns in einem
historischen Umfeld, das von einer judenfreundlichen Politik bestimmt ist (Ludwig der Fromme) und den Juden den
Gebrauch und die aktive Verbreitung der *Toledot* erlaubt.

– Ganz anders ist die Situation in Aschkenaz. Hier vollzieht
sich die wachsende Ausgestaltung des Narrativs *Toledot
Jeschu* in einem historischen Umfeld, das immer stärker von
antisemitischen Ausschreitungen und Verfolgungen geprägt

ist (verstärkt nicht zuletzt auch durch die lateinischen Übersetzungen der *Toledot*). Anders als in karolingischer Zeit ist es wenig wahrscheinlich, daß die Toledot im Hoch- und Spätmittelalter offensiv als Waffe in der Auseinander- setzung mit der christlichen Umwelt benutzt wurden. Ihre Tradierung und Ausgestaltung ist eher als ein nach innen gerichteter Akt der jüdischen Selbstvergewisserung gegen- über der übermächtigen und feindlichen christlichen Gesell- schaft zu verstehen.

15. Auch die weitere Verbreitung der *Toledot Jeschu* geschah ganz überwiegend durch christliche Gelehrte. Besonders einflußreich wurden Martin Luthers *Vom Schem Hamphoras und vom Geschlecht Christi* von 1543, Johann Christoph Wagenseils *Tela ignea satanae* von 1681 und Johannes Jakob Huldreichs *Sefer Toledot Jeschua ha- Notzri / Historia Jeschuae Nazareni* von 1705.

16. Wahrscheinlich 1824 erschien die erste (anonyme) jüdische Druckfassung der *Toledot* unter dem Titel *Tam u- Muʿad*. Mit Beginn des 20. Jahrhunderts beginnt die moderne wissenschaftliche Erforschung der *Toledot Jeschu*. Sie löst sich zunehmend von jüdischen Bedenken wie von christlichen Empfindlichkeiten, doch wird eine nüchterne Beurteilung weiterhin von widerstreitenden Emotionen erschwert: Aufgeklärte jüdische Leser sähen die *Toledot* am liebsten in den Giftschrank absurder Ausgeburten der Phantasie verbannt und damit totgeschwiegen, während fanatische christliche Leser sie als Fundamentalangriff auf ihre Religion verstehen und mit antisemitischen Ausfällen antworten.

Peter Schäfer, geboren 1943 in Hückeswagen, aufgewachsen in Mülheim-Ruhr. Ab 1962 Studium der Theologie, Philosophie, Semitistik und Judaistik in Bonn, Jerusalem und Freiburg i. Br. 1968 Promotion in Freiburg, 1973 Habilitation in Frankfurt a. M. Lehrte Judaistik an der Universität Köln (1974–1983) und als Gastprofessor in Oxford, Jerusalem, Yale, New York und Princeton. Von 1983 bis 2008 war er Professor für Judaistik und Direktor des Instituts für Judaistik an der Freien Universität Berlin, von 1998 bis 2013 Perelman Professor of Jewish Studies und Professor of Religion an der Princeton University (seit 2005 Director des Program in Judaic Studies). Seit 2014 ist er Direktor des Jüdischen Museums Berlin. Zahlreiche Forschungsaufenthalte u. a. in Oxford, Cambridge, Jerusalem, New York und Leningrad/St. Petersburg. Mitglied des Institute for Advanced Study Princeton (1993 und 1994–96), des Historischen Kollegs München (2002–03) und des Wissenschaftskollegs zu Berlin (2007–08). Ehrendoktor der

Universitäten Utrecht und Tel Aviv. Erhielt den Leibniz-Preis (1994), den Andrew W. Mellon Distinguished Achievement Award (2006), den Ruhr-Preis für Kunst und Wissenschaften der Stadt Mülheim-Ruhr (2008), den Howard T. Behrman Award for Distinguished Achievement in the Humanties (2013), den Leopold Lucas Preis der Universität Tübingen (2014) und den Reuchlin Preis der Stadt Pforzheim (2015). Er ist u. a. korrespondierendes Mitglied der British Academy, ordentliches Mitglied der Berlin-Brandenburgischen Akademie der Wissenschaften, auswärtiges Mitglied der American Philosophical Society und auswärtiges Ehrenmitglied der American Academy of Arts and Sciences. Festschriften zu seinen Ehren: *Jewish Studies between the Disciplines – Judaistik zwischen den Disziplinen: Papers in Honor of Peter Schäfer on the Occasion of his 60th Birthday.* Leiden 2003. *Envisioning Judaism: Studies in Honor of Peter Schäfer on the Occasion of his Seventieth Birthday.* 2 Bde. Tübingen 2013.

Ausgewählte Buchveröffentlichungen

Die Vorstellung vom Heiligen Geist in der rabbinischen Literatur. München 1972.

Rivalität zwischen Engeln und Menschen. Untersuchungen zur rabbinischen Engelvorstellung. Berlin–New York 1975.

Studien zur Geschichte und Theologie des rabbinischen Judentums. Leiden 1978.

Der Bar Kokhba-Aufstand. Studien zum zweiten jüdischen Krieg gegen Rom. Tübingen 1981.

Geschichte der Juden in der Antike. Die Juden Palästinas von Alexander dem Grossen bis zur arabischen Eroberung. Stuttgart–Neukirchen 1983, 2. Aufl. 2010 (französisch 1989, englisch 1995 und 2003, tschechisch 2003).

Hekhalot-Studien. Tübingen 1988.

Der verborgene und offenbare Gott. Hauptthemen der frühen jüdischen Mystik. Tübingen 1991 (amerikanisch 1992, französisch 1993, spanisch 1995).

Judeophobia: Attitudes toward the Jews in the Ancient World. Cambridge, MA–London 1997 (italienisch 1999, französisch 2003, deutsch 2010, hebräisch 2010).

Mirror of his Beauty: Feminine Images of God from the Bible to the Early Kabbalah. Princeton 2002 (deutsch 2008).

Der Triumph der reinen Geistigkeit. Sigmund Freuds »Der Mann Moses und die monotheistische Religion«. Berlin–Wien 2003.

Jesus in the Talmud. Princeton 2007 (deutsch 2007, 2. Aufl. 2010, japanisch 2010).

The Origins of Jewish Mysticism. Tübingen 2009 und Princeton 2011 (deutsch 2011).

Die Geburt des Judentums aus dem Geist des Christentums. Fünf Vorlesungen. Tübingen 2010 (italienisch 2014).

The Jewish Jesus: How Judaism and Christianity Shaped Each Other. Princeton–Oxford 2012.

Anziehung und Abstoßung/Attraction and Repulsion. Juden und Christen in den ersten Jahrhunderten ihrer Begegnung/Jews and Christians in the First Centuries of their Encounter. Tübingen 2015.

Zwei Götter im Himmel. Gottesvorstellungen in der jüdischen Antike. München 2017.

Veröffentlichungen zum Thema des Vortrags

Toledot Yeshu (»The Life Story of Jesus«) Revisited: A Princeton Conference. Tübingen 2011 (mit Michael Meerson und Yaacov Deutsch).

»Agobard's and Amulo's Toledot Yeshu«, in: ibid., S. 27–48.

»Jesus' Origin, Birth, and Childhood according to the Toledot Yeshu«, in: Benjamin Isaac und Yuval Shahar (Hg.): *Judaea-Palaestina, Babylon and Rome: Jews in Antiquity.* Tübingen 2012, S. 139–161.

Toledot Yeshu: The Life Story of Jesus. Two Volumes and Database. Bd. 1: *Introduction and Translation.* Bd. 2: *Critical Edition.* Tübingen 2014 (mit Michael Meerson).

THEMEN – Eine Publikationsreihe
der Carl Friedrich von Siemens Stiftung

In der Reihe *Themen* wird eine kleine Auswahl der im Wissenschaftlichen Programm der Carl Friedrich von Siemens Stiftung gehaltenen Vorträge in teilweise überarbeiteter und erweiterter Form veröffentlicht. Die Publikationen können von der Stiftung direkt bezogen werden. Vergriffene Bände sind mit dem Vermerk *vgr* gekennzeichnet.

1 Reinhard Raffalt: *Das Problem der Kontaktbildung in der zeitgenössischen Gesellschaft.* 1960. 2. Auflage 1970. 20 S. *vgr*

2 Kurd von Bülow: *Über den Ort des Menschen in der Geschichte der Erde.* 1961. 2. Auflage 1970. 32 S. *vgr*

3 Albert Maucher: *Über das Gespräch.* 1961. 2. Auflage 1970. 22 S. *vgr*

4 Felix Messerschmid: *Das Problem der Planung im Bereich der Bildung.* 1961. 2. Auflage 1970. 34 S.

5 Peter Dürrenmatt: *Das Verhältnis der Deutschen zur Wirklichkeit der Politik.* 1963. 2. Auflage 1970. 40 S. *vgr*

6 Fumio Hashimoto: *Die Bedeutung des Buddhismus für den modernen Menschen.* 1964. 2. Auflage 1970. 36 S. *vgr*

7 Clemens-August Andreae: *Leben wir in einer Überflußgesellschaft?* 1965. 2. Auflage 1970. 28 S. *vgr*

8 Rolf R. Bigler: *Möglichkeiten und Grenzen der Psychologischen Rüstung.* 1965. 2. Auflage 1970. 35 S.

9 Robert Sauer: *Leistungsfähigkeit von Automaten und Grenzen ihrer Leistungsfähigkeit.* 1965. 2. Auflage 1970. 32 S. *vgr*

10 Hubert Schrade: *Die Wirklichkeit des Bildes.* 1966. 66 S. *vgr*

11 Wilhelm Lehmann: *Das Drinnen im Draußen oder Verteidigung der Poesie.* 1968. 24 S. *vgr*

12 Richard Lange: *Die Krise des Strafrechts und seiner Wissenschaften.* 1969. 46 S. *vgr*

13 Hellmut Diwald: *Ernst Moritz Arndt. Das Entstehen des deutschen Nationalbewußtseins.* 1970. 46 S. *vgr*

14 *Zehn Jahre Carl Friedrich von Siemens Stiftung.* 1970. 54 S. *vgr*

15 Ferdinand Seibt: *Jan Hus. Das Konstanzer Gericht im Urteil der Geschichte.* 1973. 58 S. *vgr*

16 Heinrich Euler: *Napoleon III. Versuch einer Deutung.* 1973. 82 S. *vgr*

17 Günter Schmölders: *Carl Friedrich von Siemens. Vom Leitbild des groß-industriellen Unternehmers.* 1973. 64 S. *vgr*

18 Ulrich Hommes: *Entfremdung und Versöhnung. Zur ideologischen Verführung des gegenwärtigen Bewußtseins.* 1973. 50 S. *vgr*

19 Dennis Gabor: *Holographie 1973.* 1974. 52 S.

20 Wilfried Guth: *Geldentwertung als Schicksal?* 1974. 44 S.

21 Hans-Joachim Queisser: *Festkörperforschung.* 1975. 2. Auflage 1976. 64 S. *vgr*

22 Ekkehard Hieronimus: *Der Traum von den Urkulturen.* 1975. 2. Auflage 1984. 54 S. *vgr*

23 Julien Freund: *Georges Sorel.* 1977. 76 S. *vgr*

24 Otto Kimminich: *Entwicklungstendenzen des gegenwärtigen Völkerrechts.* 1976. 2. Auflage 1977. 52 S.

25 Hans-Joachim Hoffmann-Nowotny: *Umwelt und Selbstverwirklichung als Ideologie.* 1977. 42 S. *vgr*

26 Franz C. Lipp: *Eine europäische Stammestracht im Industriezeitalter. Über das Vorder- und Hintergründige der bayerisch-österreichischen Trachten.* 1978. 43 S. *vgr*

27 Christian Meier: *Die Ohnmacht des allmächtigen Dictators Caesar.* 1978. 108 S. *vgr*

28 Stephan Waetzoldt und Alfred A. Schmid: *Echtheitsfetischismus? Zur Wahrhaftigkeit des Originalen.* 1979. 72 S. *vgr*

29 Max Imdahl: *Giotto. Zur Frage der ikonischen Sinnstruktur.* 1979. 60 S. *vgr*

30 Hans Frauenfelder: *Biomoleküle. Physik der Zukunft?* 1980. 2. Auflage 1984. 53 S. *vgr*

31 Günter Busch: *Claude Monet »Camille«. Die Dame im grünen Kleid.* 1981. 2. Auflage 1984. 50 S.

32 Helmut Quaritsch: *Einwanderungsland Bundesrepublik Deutschland? Aktuelle Reformfragen des Ausländerrechts.* 1981. 2. Auflage 1982. 92 S. *vgr*

33 Armand Borel: *Mathematik: Kunst und Wissenschaft.* 1982. 2. Auflage 1984. 58 S. *vgr*

34 Thomas S. Kuhn: *Was sind wissenschaftliche Revolutionen?* 1982. 2. Auflage 1984. 62 S. *vgr*

35 Peter Claus Hartmann: *Karl VII.* 1982. 2. Auflage 1984. 60 S.

36 Frédéric Durand: *Nordistik. Einführung in die skandinavischen Studien.* 1983. 104 S.

37 Hans-Martin Gauger: *Der vollkommene Roman: »Madame Bovary«.* 1983. 2. Auflage 1986. 70 S. *vgr*

38 Werner Schmalenbach: *Das Museum zwischen Stillstand und Fortschritt.* 1983. 47 S.

39 Wolfram Eberhard: *Über das Denken und Fühlen der Chinesen.* 1984. 2. Auflage 1987. 48 S. *vgr*

40 Walter Burkert: *Anthropologie des religiösen Opfers.* 1984. 2. Auflage 1987. 64 S. *vgr*

41 Christopher Freeman: *Die Computerrevolution in den langen Zyklen der ökonomischen Entwicklung.* 1985. 57 S. *vgr*

42 Benno Hess und Peter Glotz: *Mensch und Tier. Grundfragen biologisch-medizinischer Forschung.* 1985. 60 S. *vgr*

43 Hans Elsässer: *Die neue Astronomie.* 1986. 64 S. *vgr*

44 Ernst Leisi: *Naturwissenschaft bei Shakespeare.* 1988. 124 S. *vgr*

45 Dietrich Murswiek: *Das Staatsziel der Einheit Deutschlands nach 40 Jahren Grundgesetz.* 1989. 56 S. *vgr*

46 François Furet: *Zur Historiographie der Französischen Revolution heute.* 1989. 50 S. *vgr*

47 Ernst-Wolfgang Böckenförde: *Zur Lage der Grundrechtsdogmatik nach 40 Jahren Grundgesetz.* 1990. 86 S. *vgr*

48 Christopher Bruell: *Xenophons Politische Philosophie.* 1990. 2. Auflage 1994. 71 S. *vgr*

49 Heinz-Otto Peitgen und Hartmut Jürgens: *Fraktale. Gezähmtes Chaos.* 1990. 70 S. mit 25 Abb. und 4 Farbtafeln. *vgr*

50 Ernest L. Fortin: *Dantes »Göttliche Komödie« als Utopie.* 1991. 62 S. mit 8 Abb. *vgr*

51 Ernst Gottfried Mahrenholz: *Die Verfassung und das Volk.* 1992. 58 S. *vgr*

52 Jan Assmann: *Politische Theologie zwischen Ägypten und Israel.* 1992. 2. Auflage 1995. 122 S. 3., erweiterte Auflage 2006. 138 S. 4. Auflage 2017. 140 S.

53 Gerhard Kaiser: *Fitzcarraldo Faust. Werner Herzogs Film als postmoderne Variation eines Leitthemas der Moderne.* 1993. 74 S. mit 1 Abb. *vgr*

54 Paul A. Cantor: *»Macbeth« und die Evangelisierung von Schottland.* 1993. 88 S.

55 Walter Burkert: *»Vergeltung« zwischen Ethologie und Ethik.* 1994. 48 S. *vgr*

56 Albrecht Schöne: *Fausts Himmelfahrt. Zur letzten Szene der Tragödie.* 1994. 40 S. *vgr*

57 Seth Benardete: *On Plato's »Symposium« – Über Platons »Symposion«.* 1994. 2. Auflage 1999. 106 S. 3. Auflage 2012. 110 S. mit einer Farbausschlagtafel.

58 Yosef Hayim Yerushalmi: *»Diener von Königen und nicht Diener von Dienern«. Einige Aspekte der politischen Geschichte der Juden.* 1995. 62 S. *vgr*

59 Stefan Hildebrandt: *Wahrheit und Wert mathematischer Erkenntnis.* 1995. 60 S. mit 12 Abb.

60 Dieter Grimm: *Braucht Europa eine Verfassung?* 1995. 58 S. *vgr*

61 Horst Bredekamp: *Repräsentation und Bildmagie der Renaissance als Formproblem.* 1995. 84 S. mit 32 Abb. *vgr*

62 Paul Kirchhof: *Die Verschiedenheit der Menschen und die Gleichheit vor dem Gesetz.* 1996. 80 S. *vgr*

63 Ralph Lerner: *Maimonides' Vorbilder menschlicher Vollkommenheit.* 1996. 50 S. mit 5 Abb.

64 Hasso Hofmann: *Bilder des Friedens oder Die vergessene Gerechtigkeit. Drei anschauliche Kapitel der Staatsphilosophie.* 1997. 2. Auflage 2008. 98 S. mit 36 Abb.

65 Ernst-Wolfgang Böckenförde: *Welchen Weg geht Europa?* 1997. 60 S. *vgr*

66 Peter Gülke: *Im Zyklus eine Welt. Mozarts letzte Sinfonien.* 1997. 64 S. mit 2 Abb. und 9 Notenbeispielen. 2. Auflage 2015. 76 S. mit 2 Abb. und 11 Notenbeispielen.

67 David E. Wellbery: *Schopenhauers Bedeutung für die moderne Literatur.* 1998. 70 S.

68 Klaus Herding: *Freuds »Leonardo«. Eine Auseinandersetzung mit psychoanalytischen Theorien der Gegenwart.* 1998. 80 S. mit 7 Abb. *vgr*

69 Jürgen Ehlers: *Gravitationslinsen. Lichtablenkung in Schwerefeldern und ihre Anwendungen.* 1999. 58 S. mit 15 Abb. und 4 Farbtafeln.

70 Jürgen Osterhammel: *Sklaverei und die Zivilisation des Westens.* 2000. 2. Auflage 2009. 74 S. mit 1 Abb.

71 Lorraine Daston: *Eine kurze Geschichte der wissenschaftlichen Aufmerksamkeit.* 2001. 60 S. mit 7 Abb. *vgr*

72 John M. Coetzee: *The Humanities in Africa – Die Geisteswissenschaften in Afrika.* 2001. 98 S.

73 Georg Kleinschmidt: *Die plattentektonische Rolle der Antarktis.* 2001. 86 S. mit 20 Abbildungen, 16 Farbtafeln und einer Ausschlagtafel.

74 Ernst Osterkamp: *»Ihr wisst nicht wer ich bin« – Stefan Georges poetische Rollenspiele.* 2002. 60 S. mit 5 Abb.

75 Peter von Matt: *Ästhetik der Hinterlist. Zu Theorie und Praxis der Intrige in der Literatur.* 2002. 62 S.

76 Seth Benardete: *Socrates and Plato. The Dialectics of Eros – Sokrates und Platon. Die Dialektik des Eros.* 2002. 98 S. mit 1 Abb.

97 Jan Wagner: *Ein Knauf als Tür. Wie Gedichte beginnen und wie sie enden.* 2014. 80 S.

98 Walter Werbeck: *Richard Strauss. Facetten eines neuen Bildes.* 2014. 92 S. mit 6 Abb.

99 Karl Schlögel: *Archäologie des Kommunismus oder Russland im 20. Jahrhundert. Ein Bild neu zusammensetzen.* 2014. 120 S. mit 15 Abb.

100 Ronna Burger: On Plato's *Euthyphro* – Über Platons *Euthyphron.* 2015. 124 S.

101 Andreas Voßkuhle: *Die Verfassung der Mitte.* 2016. 70 S.

102 David E. Wellbery: *Goethes* Faust I. *Reflexion der tragischen Form.* 2016. 102 S.

103 Peter Schäfer: *Jüdische Polemik gegen Jesus und das Christentum. Die Entstehung eines jüdischen Gegenevangeliums.* 2017. 80 S.

Außerhalb der Reihe sind erschienen:

1985 – 1995 Carl Friedrich von Siemens Stiftung – Zehnjahresbericht. 1996. 2. Auflage 1999. 144 S. mit 81 Abbildungen.

1995 – 2005 Carl Friedrich von Siemens Stiftung – Zehnjahresbericht. 2005. 174 S. mit 117 Abbildungen.

Notiz zur Zitierweise

Peter Schäfer:
Jüdische Polemik gegen Jesus und das Christentum.
Die Entstehung eines jüdischen Gegenevangeliums.
München: Carl Friedrich von Siemens Stiftung, 2017
(Reihe »Themen«, Bd. 103).

ISBN 978-3-938593-28-8

Carl Friedrich von Siemens Stiftung
Südliches Schloßrondell 23
80638 München

Veröffentlichungen
der Carl Friedrich von Siemens Stiftung

Heinrich Meier, Gerhard Neumann (Hg.)
Über die Liebe
Ein Symposion
München, Piper, 2000. 4. Auflage 2009. Serie Piper 3233
352 Seiten mit 10 Abbildungen. € 9,90 (D)

Gerhard Neumann
Lektüren der Liebe

Helen Fisher
Lust, Anziehung und Verbundenheit
Biologie und Evolution der menschlichen Liebe

Karl-Heinz Kohl
Gelenkte Gefühle
Vorschriftsheirat, romantische Liebe und Determinanten der Partnerwahl

Jean Starobinski
Fêtes galantes
Geburt und Niedergang einer Utopie der Liebe

Seth Benardete
Sokrates und Platon
Die Dialektik des *Eros*

Walter Haug
Tristan und Lancelot
Das Experiment mit der personalen Liebe im 12./13. Jahrhundert

Kurt Flasch
Liebe im *Decameron* des Giovanni Boccaccio

Peter von Matt
Versuch, den Himmel auf Erden einzurichten
Der Absolutismus der Liebe in Goethes *Wahlverwandtschaften*

Ulrich Pothast
Liebe und Unverfügbarkeit

Heinrich Meier
Epilog: Über Liebe und Glück

Friedrich Wilhelm Graf, Heinrich Meier (Hg.)

Der Tod im Leben
Ein Symposion

München, Piper, 2004. 3. Auflage 2009. Serie Piper 4271
352 Seiten mit 6 Abb. € 12,90 (D)

Heinrich Meier (Hg.)
Über das Glück
Ein Symposion

München, Piper, 2008. 2. Auflage 2010. Serie Piper 5304
295 Seiten mit 5 Abb. € 9,95 (D)

Edition der
Carl Friedrich von Siemens
Stiftung

Friedrich Wilhelm Graf, Heinrich Meier (Hg.)
Politik und Religion
Zur Diagnose der Gegenwart
München, C.H. Beck, 2013. 2. Auflage 2017
325 Seiten. Klappenbroschur. € 14,95